VEINTE POEMAS DE AMOR
Y
UNA CANCIÓN DESESPERADA

clásicos Castalia

PABLO NERUDA

VEINTE POEMAS DE AMOR
Y
UNA CANCIÓN DESESPERADA

Edición,
introducción y notas
de
HUGO MONTES

clásicos castalia

Madrid

Copyright © Editorial Castalia, S. A., 1989
Zurbano, 39 - 28010 Madrid - Tel. 319 58 57

Cubierta de Víctor Sanz

Impreso en España - Printed in Spain
Unigraf, S. A. Móstoles (Madrid)

I.S.B.N.: 84-7039-494-0
Depósito Legal: M. 24.347-1990

SUMARIO

INTRODUCCIÓN

BIOGRÁFICA Y CRÍTICA

1. EVOCACIÓN BIOGRÁFICA

Ricardo Neftalí Reyes —universalmente conocido como Pablo Neruda— nació en Parral, pequeña ciudad del valle central de Chile, el 12 de julio de 1904. Dos meses después murió su madre, Rosa Basoalto Opazo. El padre —José del Carmen Reyes Morales— casó en segundas nupcias con Trinidad Candia Marverde, a la que el poeta trató siempre con gran cariño, resistiéndose a darle el nombre duro de madrastra. Es la "mamadre" de alguno de sus poemas. [1]

La familia se trasladó pronto a la sureña ciudad de Temuco, de donde proceden todos los recuerdos de infancia del poeta. La naturaleza, en especial la lluvia, es su gran compañera, según recuerda en el libro de Memorias: "Comenzaré por decir, sobre los días y años de mi infancia, que mi único personaje inolvidable fue la lluvia. La gran lluvia austral que cae como una catarata del Polo, desde los cielos del Cabo de Hornos hasta la frontera." [2]

---

[1] P. ej., "La mamadre", de *Memorial de Isla Negra*. Ver también "Humildes versos para que descanse mi madre", en Pablo Neruda, *El río invisible*, Seix Barral, Barcelona, 1980.

[2] *Confieso que he vivido*, Seix Barral, Barcelona, 1979, p. 15.

La significación de Parral en la formación de Neruda ha sido señalada por Manuel Francisco Mesa Seco en su libro *Aspectos culturales del ancestro provinciano de Neruda*, Nascimento, Santiago, 1985.

La evocación alcanza también a algunas personas, por ejemplo a Gabriela Mistral —su compatriota laureada como él con el premio Nobel de Literatura—, que por esos años enseñaba en el Liceo de Niñas de Temuco. Ella lo orientó en la lectura de la novela decimonónica, particularmente la de Dostoievski y de Tolstoi.[3]

Terminada la educación media, el joven se traslada a Santiago y empieza estudios de Pedagogía en Francés en la Universidad de Chile (1921). Vive muy modestamente en pensiones de barrios aledaños, que sin embargo reciben su generoso homenaje poético.[4] La poesía, que había nacido en Temuco,[5] irrumpe en forma avasalladora. Ni el estudio, abandonado pronto, ni las dificultades económicas, ni las actividades socioculturales de la Federación de Estudiantes logran apartarlo de una vocación literaria que cada día se torna más definida y absorbente. Empiezan a aparecer los libros de poemas, *Crepusculario,* en 1923, y *Veinte poemas de amor y una canción desesperada,* al año siguiente. Los firma con el seudónimo que ya no abandonará jamás, Pablo Neruda.[6] Dos figuras consagradas en las letras chilenas —Hernán Díaz Arrieta y Eduardo Ba-

[3] *Confieso que he vivido,* ed. cit., p. 33.

[4] Cf. el apartado "Crepúsculos de Maruri", de *Crepusculario,* y "La pensión de la calle Maruri", en *Memorial de Isla Negra.*

[5] Con el título *El río invisible,* Matilde Urrutia y Jorge Edwards publicaron Poesía y Prosa de la juventud de Neruda. El primer poema recogido allí —"Nocturno"— está fechado en Temuco el 18 de abril de 1918, cuando el poeta aún no cumplía catorce años de edad. Ver también de P. Neruda, "Album Terusa 1923" (textos juveniles inéditos) presentados por Hernán Loyola en *Anales de la Universidad de Chile* núms. 157-160, enero-diciembre de 1971, pp. 46 a 55.

[6] En una entrevista concedida por Neruda a la revista *Ercilla,* Santiago, semana del 27 de octubre, 1971, el autor declara: "Un día que temía más que de costumbre que mi padre descubriera la verdad —lo que hubiera sido una catástrofe—, me tocó recorrer las páginas de una revista en la cual había un cuento firmado por Jean Neruda... Entonces tomé Neruda para segundo nombre y puse Pablo como primero. Pensé que sería por algunos meses." El escritor Jean Neruda, nacido en Praga, vivió entre los años 1834 y 1891. Cf. *Confieso que he vivido,* ed. cit., p. 274.

rrios— avalan al joven poeta ante el editor Nascimento, que publica la segunda de estas obras.

Son dos libros de adolescencia, de primera juventud en todo caso. Prevalece la palabra sencilla, la frase concisa, la comparación exacta: "Clara como una lámpara, simple como un anillo." Se llega al texto rotundo, casi epigramático, revelador de una extraordinaria capacidad de síntesis: "Es tan corto el amor, y es tan largo el olvido"… "Y el verso cae al alma como al pasto el rocío." El tono predominante es de tristeza, aunque en algunos poemas de amor aflora una nota estival y hasta de entusiasmo. Muchos años después el poeta volvería la vista a esos años de inicio para decir, arrepentido, "te desdeñé, alegría, / fui mal aconsejado". [7]

Crepusculario y *Veinte poemas de amor* corresponden a una etapa posmodernista, en la que el Yo lírico, central y compacto, está determinado por sentimientos de amor al mundo y a la mujer. Los problemas se resuelven en la frase artística, en la evocación de la primavera temprana o en el afán de huir y de sumirse en la naturaleza, con la que el Yo se siente identificado. Poesía subjetiva, fina a la vez que fuerte, delicada pero sensual, ciertamente representativa del sentir de la juventud latinoamericana de la época.

Mas Neruda no se contentó con lo hecho y buscó nuevos horizontes para su obra. El año 1926 publica, siempre en Nascimento, tres breves libros que muestran una apremiante ansia de renovación: la novela corta *El habitante y su esperanza*, los poemas en prosa *Anillos*, en colaboración con Tomás Lago, y el poema de índole surrealista *Tentativa del hombre infinito*. La variedad de géneros y ciertas audacias formales (ausencia de puntuación, imágenes oníricas) muestran el afán innovador y dan al conjunto cierto carácter experimental.

Ese afán, empero, se expresará del todo sólo en el libro siguiente, *Residencia en la tierra*.

---

[7] "Oda a la alegría", en *Odas elementales*.

Neruda alcanza con él un lugar definido y singular en el mundo de las letras. Pasa a ser el poeta residenciario. Su visión de la realidad es negativa. Ve fatigas, grietas, muerte en todas partes. Aun las cosas tradicionalmente positivas se asocian con lo doloroso: "Enfermedades en mi casa", "Melancolía en la familia", "Sonata y destrucciones", "Débil del alba" son títulos de algunos de los nuevos poemas. La tristeza de la juventud remata en la angustia, en el sin sentido, en el caos y la muerte. El mundo tiene una dinámica de destrucción. Ineludiblemente "el reloj cae en el mar", es decir, el tiempo va al morir. Pero a diferencia de Jorge Manrique, esta visión no se proyecta como paso a otra o a otras vidas. La situación es de total desesperanza.

El Yo es parte de ese mundo en descomposición y no hace ni puede hacer nada por enmendar las cosas. En el poema "Walking around" se repite con insistencia uno de los versos más pesimistas de nuestra literatura: "Sucede que me canso de ser hombre." Es una fatiga esencial y sin salida. Persisten las imágenes oníricas, abundan las enumeraciones caóticas ("Yo paseo con calma, con ojos, con zapatos, / con furia, con olvido"), las oraciones se extienden, retorcidas, hasta agotar el poema ("Arte poética", por ejemplo, con más de veinte largos versos consta de una sola oración). Sólo por excepción se canta a la materia —madera, vino, apio—, ya que la alabanza no es precisamente el objetivo del libro. El elogio a la realidad vendrá años después, en los sucesivos libros de las odas elementales.

No puede olvidarse el contexto biográfico que hay tras el pesimismo de *Residencia en la tierra*. El poeta, siempre inquieto y necesitado de un trabajo que le permitiera subsistir, buscó nuevos derroteros de vida luego de la triple experiencia literaria de 1926.

Sin estudios sistemáticos, desligado de la tuición paterna y aun resueltamente distanciado de su padre, que no aceptaba la salida de la universidad ni la vida bohemia del hijo; sin medios económicos, resuelve salir de Chile. Sabemos que ya en 1924 había pensado ir a México. [8] Recurre ahora al Ministerio de Relaciones Exteriores y obtiene el cargo de cónsul en Rangún.

En 1927 el poeta emprende el largo viaje necesario para asumir su puesto. Los principales hitos son bien conocidos: Santiago, Mendoza, Buenos Aires, Río de Janeiro, Madrid, París, Marsella, Suez, Rangún. Muy luego, visitas a China y Japón. Han empezado cinco largos años de soledad y angustia, de experiencias exóticas, de vida sórdida. Las remuneraciones consulares llegaban con retraso y eran muy escuálidas. Las cartas de Chile tardaban hasta tres meses, los intentos por reanudar estudios en Europa o por publicar en España se frustraron. [9] Nuevas destinaciones oficiales en Ceilán, Java y Singapur alivian sólo momentáneamente la situación, agravada por un doloroso desengaño sentimental. [10] Ni los amores apasionados con

---

[8] Leemos en carta hasta ahora inédita que Gabriela Mistral, entonces en México, dirige al novelista y dramaturgo chileno Eduardo Barrios: "No está demás que le diga algo sobre este asunto: hace tiempo me vienen comunicando que jóvenes de allá —Neruda, otros— quieren venirse a México. Escribí a Neruda i le digo con franqueza bien intencionada que Vasconcelos se retira i que no hai aquí más hispanoamericanistas que él i Obregón." Agradezco el dato al prof. de la Univ. de Notre Dame, Indiana, José Anadón.

[9] Desde Batavia, escribe Neruda el 28 de julio de 1931: "He tenido muchos inconvenientes para la publicación de mi libro en España, que hasta ahora no sale, necesitaría hacer un viaje pero no he podido ahorrar un centavo hasta ahora, ni tengo esperanzas." (*Cartas a Laura*, Ediciones Cultura Hispánica, Madrid, 1978, p. 53). Cf. el Prólogo y las notas de Hugo Montes.

Al mismo punto se refiere Rafael Alberti en sus Memorias *La arboleda perdida*, Seix Barral, Barcelona, 1975, pp. 293 y 294.

[10] La falta de correspondencia de Albertina Azócar a las peticiones de Neruda de que viajara a Oriente y fuera su esposa. Escribe el poeta: "Mi Albertina, apenas puedo contener mi furia y escribirte con calma. Ayer me devolvieron tu famosa calle Jourdan mi importante carta certificada, con la nota *Parti sans laisser adresse*. Debo decirte que veo cierta cruel falta de responsabilidad de tu parte, que en verdad no sé cómo tomar." (*Cartas de amor de Pablo Neruda*, Recopilación, Introducción y Epílogo de Sergio Fernández Larraín, Rodas, Madrid, 1974, p. 362).

la exótica Josie Bliss [11] ni el matrimonio con María Haagenar, javanesa, logran mejorar un cuadro deprimente y negativo que tiene cabal correspondencia con el nihilismo residenciario.

"Yo simplemente caigo; no tengo ni deseos ni proyecto nada; existo cada día un poco menos", escribe Neruda a su amigo argentino Héctor Eandi. En la misma carta, refiriéndose a *Residencia en la tierra*, el libro en formación, dice el autor: "Es un montón de versos de gran monotonía, casi rituales, con gran misterio y dolores como los hacían los viejos poetas. Es algo muy uniforme, como una sola comenzada y recomenzada, como eternamente ensayada sin éxito." [12]

Sólo en 1932 Neruda vuelve a su patria. En un buque de carga atraviesa los océanos más meridionales del mundo, cruza el estrecho de Magallanes, desembarca en Puerto Montt y sigue por tierra hacia la casa familiar de Temuco. Allí queda muy poco tiempo. Las desavenencias con el padre continúan. La esposa no se hace querer. Falta el dinero. Hay que editar el libro. Esto último es lo único que el poeta logra en Santiago. [13] No queda sino seguir errando por el extranjero.

El Gobierno de Chile envía a Neruda a Buenos Aires, donde conoce a Jorge Luis Borges y a otros intelectuales argentinos. En casa de Pablo Rojas Paz, en octubre de 1933, es presentado a Federico García Lorca, quien estaba en Argentina con motivo de la representación de algunas de sus obras por la compañía de Margarita Xirgú. Ambos poetas rinden un homenaje al alimón a Rubén Darío e inician una amistad que iba a estrecharse aun más cuando,

---

[11] Cf. "Josie Bliss", último poema de *Residencia en la tierra*, y "Amores; Josie Bliss" I y II, en *Memorial de Isla Negra*. Ver también *Confieso que he vivido*, ed. cit., pp. 124 y 125.

[12] Carta fechada en Colombo, Ceylán, el 24 de abril de 1929. Ver, Margarita Aguirre, *Pablo Neruda-Héctor Eandi, Correspondencia durante "Residencia en la tierra"*, Sudamericana, Buenos Aires, 1980, p. 48.

[13] Edición de lujo, de sólo 100 ejemplares, con el sello de Nascimento.

al año siguiente, Neruda es trasladado a España, primero a Barcelona y luego a Madrid, como cónsul de Chile.

Muy diferente es esta segunda visita del poeta a España. En la primera, de 1927, estuvo sólo de paso, no era mayormente famoso, carecía de amigos españoles. Ahora va en funciones oficiales permanentes, goza de un merecido renombre, la amistad de García Lorca le abre el rico mundo intelectual de la República. Los escritores de la Generación del 27, especialmente Vicente Aleixandre y Rafael Alberti, serán sus amigos; Manuel Altolaguirre le ofrece la dirección de la revista *Caballo Verde para la Poesía*; se reedita *Residencia en la tierra,* García Lorca lo presenta en la Universidad de Madrid. Neruda vive en el barrio de Argüelles, en la Casa de las Flores, "una bella casa con perros y chiquillos", según recuerda en el poema "Explico algunas cosas".

Fue un tiempo feliz para el poeta. Su vida personal cambia con el encuentro de Delia del Carril, que lo acompañará durante largos años. Entre los poetas más jóvenes, Miguel Hernández y otros pasan a ser sus amigos y discípulos. La obra del chileno alcanza por esos años resonancia internacional.

Aunque compañero de los poetas del 27, discrepa de ellos. Critica su esteticismo y opta por una poesía sin pureza, en la cual encuentran un lugar de privilegio los motivos y las expresiones cotidianas, aun las más prosaicas. La amistad, sin embargo, no se altera. Entre los poetas mayores de la Península, sólo Juan Ramón Jiménez se mantuvo distante de Neruda. En su libro *Españoles de tres mundos,* de 1942, lo criticaría acerbamente. Más allá de cualquiera discrepancia personal, los separaba una visión radicalmente distinta de la poesía, ya que —como es bien sabido— Juan Ramón se mantuvo siempre fiel a la poesía pura y, con el tiempo, fue depurando aún más su obra, en una línea opuesta a la del chileno. [14]

---

[14] Nos referimos a este punto en otra oportunidad, H. Montes, *Poesía actual de Chile y España,* Sayma, Barcelona, 1963, pp. 105 y siguientes.

La Guerra civil puso duro término a la vida grata y fecunda que Neruda llevaba en España. La muerte de García Lorca lo afectó profundamente. El grupo del 27 se dispersó y sus amigos asumieron posturas ideológicas que no podían serle indiferentes. Él mismo cambió de visión poética, de modo que el lirismo subjetivo y esencial fue siendo reemplazado por una tendencia narrativa en la cual la ideología tenía mucho que ver. El poeta se abandereriza. Elogia y denigra con igual apasionamiento. Ve el mundo dividido entre buenos y malos y pone su enorme poesía al servicio de una causa que ya no es únicamente estética. Empieza el arrepentimiento de la obra anterior, tanto del hermetismo reciente cuanto de la tristeza del comienzo. "Reunión bajo las nuevas banderas" es título denotador del cambio. El Yo se siente solidario con muchos y aspira a superar el individualismo primero. Nace *España en el corazón* (1938), libro combativo, lleno de nombres propios, inflamado en la causa política. Conocidos versos del ya citado poema "Explico algunas cosas" dan el tono de la nueva postura:

> Y una mañana todo estaba ardiendo
> y una mañana las hogueras
> salían de la tierra
> devorando seres,
> y desde entonces fuego,
> pólvora desde entonces,
> y desde entonces sangre.

La división brutal queda asimismo evidenciada en el texto:

> Frente a vosotros he visto la sangre
> de España levantarse
> para ahogaros en una sola ola
> de orgullo y de cuchillos!

El remate del poema muestra las dos posturas del autor, la que cantaba las bellezas de su patria antes de la guerra y la actual, determinada por el sufrimiento de los inocentes;

Preguntaréis por qué su poesía
no nos habla del sueño, de las hojas,
de los grandes volcanes de su país natal?

Venid a ver la sangre por las calles,
venid a ver
la sangre por las calles,
venid a ver la sangre
por las calles!

En una entrevista concedida por el poeta en diciembre de 1971 recuerda esos años hermosos y difíciles y cómo España fue decisiva en su vida y en su creación: "Esa época es para mí fundamental en mi vida. Por lo tanto, casi todo lo que he hecho después —casi todo lo que he hecho en mi poesía y en mi vida— tiene la gravitación de mi tiempo de España." [15]

Así como Neruda mantuvo su amor a España, mantuvo también su postura de escritor comprometido con la realidad social y política que lo rodeaba. Apasionado en el amor y apasionado en la lucha ideológica, su poesía es una intensa expresión de amor a la mujer y a los pueblos del mundo.

La definición política iba a traer al poeta ventajas e inconvenientes, alegrías y sinsabores. Por de pronto, el Gobierno de Frente Popular que asciende en Chile en 1938 lo designa cónsul para la inmigración. En esa calidad organiza el viaje a Chile de numerosos emigrantes españoles. Luego es nombrado cónsul general en México, país del cual regresa a Chile en 1943. De paso, visita Machu-Picchu, cuyas ruinas inspiran uno de sus más hermosos poemas. Es elegido senador por las provincias del norte de Chile y tiene una destacada actuación en la campaña presidencial de Gabriel González Videla.

[15] Declaraciones a *Mundo Hispánico*, N. 285, Madrid, diciembre de 1971, p. 74, recogidas por Martín Panero en *Neruda y España*, Taller de Letras, Universidad Católica de Chile, Santiago, 1972.

El cambio político operado por éste luego de asumida la presidencia de la República, motivó una violenta crítica de Neruda. La consecuencia fue su desafuero parlamentario y la orden judicial de detenerlo. El poeta salió subrepticiamente del país y viajó a Europa, donde los más destacados intelectuales lo recibieron y lo rodearon de honores.

Entre tanto la obra ha continuado creciendo. *España en el corazón* pasó a integrar, junto con otros poemas, la *Tercera Residencia* (1947). Y lo que se inició una vez como un Canto de Chile, dio después de la visita a Machu-Picchu en el célebre *Canto General* (1950). [16] Esta es la obra más famosa del autor. Corresponde a un grandioso intento de poetizar la historia del hombre americano. Consta de quince partes y va desde los remotos orígenes míticos del nuevo mundo hasta las últimas vicisitudes históricas y políticas de cada patria. Alcanza cimas superiores en la parte segunda —"Alturas de Machu-Picchu"—, canta hermosamente a Chile, invita a despertar al americano del norte ("Que despierte el leñador"), elogia a los libertadores de antes y de ahora, rechaza a quienes oprimen por la fuerza de las armas o del dinero. El Yo es narrador no menos que protagonista y cuenta y canta con entusiasmo, con ira, con ternura. *Canto General* es libro polifacético, severo, parcial, con algunas caídas estéticas quizá relacionables con los momentos en que prevalece el odio sobre el amor. Su métrica variada y la diversidad de sus estilos corresponden a la intención de expresar cabalmente la realidad compleja de los pueblos cantados. "Como cantor general de América —afirma un crítico literario— Neruda se asigna el papel del que testimonia y testifica, el que declara con seguridad y verdad. Memorialista, cronista del pasado, verificador

---

[16] Escribe Neruda: "Allí comenzó a germinar mi idea de un Canto General americano. Antes había persistido en mí la idea de un canto general de Chile, a manera de crónica. Ahora veía a América desde las alturas de Machu Picchu. Este fue el título del primer poema con mi nueva concepción." ("Algo sobre mi poesía y mi vida", en la revista *Aurora,* Santiago, Julio de 1954.)

del presente, apologista, censor, condenado y profeta, el poeta debe asumir con exclusividad el papel de portavoz delegado por su pueblo." [17]

La acogida generosa de Europa, la concesión de premios del más alto nivel internacional, la traducción de su obra a numerosas lenguas, viajes a Rusia y a China y el encuentro con quien será su segunda esposa —Matilde Urrutia—, facilitan la creación de un grupo de obras de temática universal y de tono positivo, de largo aliento, entre las que cabe recordar *Los versos del capitán* (1952) y *Las uvas y el viento* (1953). Empiezan a aparecer asimismo los diversos libros de *Odas elementales*, de verso delgado y ágil, penetrante, en que se elogia cuanto existe en el mundo. Nada queda excluido del canto. Hay voz para la alcachofa, el calcetín, el cactus de la costa, el niño de la liebre, las estrellas, la alegría, el otoño, el mar, el hígado, el cerebro, la poesía, la mujer amada, la madera, los libros, la imprenta. Un abrazo inmenso y generoso llega a todas partes. El poeta va y viene, urgido, apresurado, lleno de celo por las personas y las cosas, en especial por las de menor importancia. Había que redimir el mundo de la tristeza y del olvido. La tarea era de paz, esperanza, trabajo, belleza para todos, grandes y pequeños, de aquí o de allá. [18]

Tres libros importantes acentúan esta actitud generosa, centrada en el amor y la libertad, a saber: *Estravagario* (1958), *Navegaciones y regresos* y *Cien sonetos de amor* (1959). Con buena dosis de humor y con expresos deseos de independencia personal, *Estravagario* es el más creador. "Ahora me dejen tranquilo. / Ahora se acostumbren sin

---

[17] Saúl Yurkievich, "Mito e historia: dos generadores del *Canto General*", en *Pablo Neruda,* ed. de E. Rodríguez Monegal y E. M. Santi, Taurus, Madrid, 1980, p. 214.
[18] "Voy por el mundo / cada vez más alegre: / cada ciudad me da una nueva vida. / El mundo está naciendo", son versos de Neruda que expresan con claridad esta actitud positiva y entusiasta ("Cuando de Chile", *Las uvas y el viento*).

mí", pide el poeta. [19] El tono desparpajado recuerda los antipoemas de Nicanor Parra, entonces recién aparecidos.

Mas Neruda no olvida su misión de poeta social y político. "Mis deberes caminan con mi canto", afirma en una precisa poética de servicio. Y añade: "Porque no puedo ser sin ser de todos." [20] Es una suerte de imperativo categórico que obliga a denunciar y a elogiar, a participar en la solución de los problemas que aquejan al pueblo. Muy lejos quedaron el canto desinteresado y subjetivo, el lirismo hermético, el mero canto de amor a la mujer o la tierra. En esta perspectiva nacen libros que van desde el aliento épico —*Canción de gesta,* 1960— hasta el verso panfletario y anecdótico —*Incitación al nixonicidio y alabanza de la revolución chilena,* 1973—, pasando por el drama —*Fulgor y muerte de Joaquín Murieta,* 1966—. Es un esfuerzo gigantesco de la poesía para expresar y servir al hombre oprimido, en especial de América Latina. El autor arriesga su prestigio, pone en juego la perfección formal de cuanto hace, busca, cambia, ensancha e intensifica su palabra, convencido de que esa palabra es y debe ser cántico y castigo.

La madurez invita al poeta a volver la vista hacia atrás, a recordar. Su vida intensa parece arremansarse en poemas y libros que implican una mirada retrospectiva. *O Cruzeiro Internacional* publica en varios números del año 1962 "Memorias y recuerdos de Pablo Neruda", que integrarán el libro autobiográfico *Confieso que he vivido,* de publicación póstuma. Dos años después, cuando el autor cumple los sesenta de su edad, aparecen los cinco volúmenes de *Memorial de Isla Negra,* también de índole autobiográfica. En la misma línea han de inscribirse su importante conferencia "Cómo veo mi propia obra" y el libro ilustrado *La casa en la arena,* de 1966.

---

[19] En "Pido silencio", *Estravagario.*
[20] Versos del poema "Así es mi vida", de *Canción de gesta,* 1960.

Cabe citar también los libros que un autor calificó como de modalidad apocalíptica, [21] *Fin de mundo,* de 1969, y *La espada encendida,* del año siguiente. El lector se encuentra ante textos proféticos que ciertamente revelan una inspiración bíblica y teológica, sólo que con el contrasentido —Nietzsche está detrás de ello— de que suponen antes la ausencia que la presencia de Dios. [22]

La admirable fecundidad de Neruda le permitió dejar numerosos inéditos que vieron la luz pública después de su muerte, ocurrida en septiembre de 1973: las ya citadas memorias *Confieso que he vivido* y los libros de poemas *2000, La rosa separada, Libro de las preguntas, Corazón amarillo, Jardín de invierno, Elegía, El mar y las campanas* y *Defectos escogidos.*

Obra tan vasta y tan variada, tan personal a la vez que tan representativa de la América Latina de hoy, no puede encasillarse en molde único. Ella rebasa los esquemas que normalmente pudieran ser citados como propios de la historia literaria del siglo: Modernismo, Vanguardia, Expresionismo, etc. Ocurre, además, en diversos estilos, persigue blancos diferentes y recibe las más diversas influencias. Como la pintura de Picasso, pone en órbita maneras distintas que permiten hablar de varios Nerudas, por ejemplo, del posmodernista, del surrealista, del realista social, del antipoeta. El autor dio inesperados golpes de timón a su obra, que desconcertaron al lector y admiraron al crítico. Ellos no alcanzaban a habituarse a una etapa determinada, cuando ya había surgido la siguiente, quizá de índole anta-

[21] Enrico Mario Santi, "Neruda: la modalidad apocalíptica", en el libro citado de Rodríguez Monegal y Santi, pp. 265 a 282. Cf. de José Angel Ascuence, "Profetismo bíblico en la poesía social", en *Letras de Deusto,* núm. 34, enero-abril de 1986, pp. 71 a 87.
[22] Ver de Jaime Alazraki, "Para una poética de la poesía póstuma de Pablo Neruda", en el libro ya citado de E. Rodríguez Monegal y E. M. Santi, pp. 283 a 310; y de Martín Panero, "Neruda póstumo", en *Taller de Letras,* núm. 6, Universidad Católica de Chile.

gónica. No puede olvidarse, sin embargo, que junto a esta innegable capacidad evolutiva, hay una permanencia nerudiana, unas constantes que traspasan sus libros y los hacen inconfundibles. Falta estudiarlas todavía. El lenguaje, la dimensión telúrica y el afán de identificar el Yo lírico con el ser amado, son algunas de estas constantes, a las que cabría añadir la preferencia decidida por la naturaleza y el consiguiente rechazo de lo artificial. Una cosmovisión materialista preside los más de sus libros, perseguidores en última instancia de una totalidad siempre esquiva y, por lo mismo, siempre incitante e invitadora del esfuerzo siguiente.

Neruda es poeta genuinamente latinoamericano. Desde su patria y desde su continente alcanza la universalidad que le valió el reconocimiento de tantos y el más alto galardón literario del mundo. Él mismo dijo en el discurso pronunciado con motivo de la entrega del premio Nobel, en 1971:

> Somos conscientes de nuestra obligación de pobladores y —al mismo tiempo que nos resulta esencial el deber de una comunicación crítica en un mundo deshabitado y, no por deshabitado menos lleno de injusticias, castigos y dolores— sentimos también el compromiso de recobrar los antiguos sueños que duermen en las estatuas de piedra, en los antiguos monumentos destruidos, en los anchos silencios de pampas planetarias, de selvas espesas, de ríos que cantan como truenos. Necesitamos colmar de palabras los confines de un continente mudo y nos embriaga esta tarea de fabular y de nombrar. Tal vez ésa sea la razón determinante de mi humilde caso individual: y en esa circunstancia mis excesos, o mi abundancia, o mi retórica, no vendrían a ser sino actos, los más simples, del menester americano de cada día. [23]

[23] En *Obras completas*, Losada, Buenos Aires, 1973, tomo I, p. 32.

2. "VEINTE POEMAS DE AMOR Y UNA CANCIÓN
    DESESPERADA"

Aunque es libro de la juventud del autor, *Veinte poemas
de amor y una canción desesperada* tiene una prehistoria
que vale la pena recordar. Seis de sus poemas fueron pu-
blicados en periódicos de Santiago de Chile, poco antes
de la aparición de la obra. *Claridad,* órgano de la Federación de Estudiantes de la Universidad de Chile, y *Zig Zag,*
revista miscelánea de gran prestigio en su tiempo, dieron a
conocer, respectivamente, los poemas 4, 14 y 20, y 6, 12
y 15, entre febrero de 1923 y mayo de 1924. El poema 2
también ha de ser recordado a este propósito, pues fue
objeto de una redacción diversa a la del libro.[24] Hay variantes de interés que oportunamente destacaremos.

El título iba a ser otro: *Poemas de una mujer y de un
hombre,* primero; luego, *Doce poemas de amor y una canción desesperada.*[25]

Además, el poema 9 fue sustituido en la segunda edición
del libro —1932— por otro del todo distinto y que corresponde más a la modalidad de *Residencia en la tierra*
que a la de los *Veinte poemas.* En fin, el poema 16 debe
ser considerado como paráfrasis de un texto de Rabindranath Tagore.[26]

[24] Ver variantes en las notas al pie de página.
[25] Así lo dice Neruda a Hernán Díaz Arrieta (Alone) en tres
cartas fechadas en Temuco. Cf. de Alone, *Los cuatro grandes de
la literatura chilena,* Zig Zag, Santiago, 1963, pp. 220 a 230.
[26] Falta un estudio acerca de la presencia de R. Tagore en Chile,
ciertamente de gran importancia entre los años 1914 y 1930. Con-
viene tener en cuenta en todo caso el libro de Raúl Ramírez,
*Rabindranath Tagore, Poeta i Filósofo hindú (con tres comentarios
líricos en verso i tres en prosa de Gabriela Mistral),* Casa Editora
Minerva, Santiago, 1917.
Eduardo Anguita y Volodia Teitelboin acusaron a Neruda de
haber plagiado a Tagore con el poema 16. Diego Muñoz y otros
defendieron al acusado, el que publica en la edición de *Veinte poemas de amor* de 1938 la siguiente nota a propósito del discutido
poema: "... es, en parte principal, paráfrasis de uno de Rabindranath Tagore, en *El Jardinero.* Esto ha sido siempre y publicadamen-

La publicación misma no fue fácil, dada la precariedad de medios económicos del autor. Neruda recuerda la colaboración que le prestó el novelista y dramaturgo Eduardo Barrios: "En cuanto a mis *Veinte poemas de amor* contaré una vez más que fue Eduardo Barrios quien lo entregó y recomendó con tal ardor a don Carlos George Nascimento que éste me llamó para proclamarme poeta publicable con estas palabras: Muy bien, publicaremos su obrita". [27]

La crítica distó de elogiarla con entusiasmo unánime. Mariano Latorre, por ejemplo, encontró demasiado retórico y cerebral el dolor y la desesperación expresados en los poemas. Neruda creyó necesario defenderse y lo hizo atacando la "necedad" de su crítico. [28]

Sólo ocho años después fue reeditado el libro. [29] Desde entonces, empero, ha tenido innumerables reediciones, de las que daremos cuenta más adelante. En 1961 se publica su millonésimo ejemplar. La cifra se duplica poco antes del fallecimiento del autor. Es un caso absolutamente único en la lírica del idioma y quizás de cualquiera otra lengua. Lo que no alcanzaron muchas novelas de gran fama o las más célebres colecciones de cuentos, lo logró este pequeño libro de poemas juveniles.

¿Cuál es su secreto?

Variadas y aun contradictorias respuestas han salido de la pluma de los comentaristas y estudiosos.

Algunos, como Alfredo Cardona Peña, vieron en los *Veinte poemas* una acertada expresión de sentimientos colectivos de la juventud hispanoamericana. [30] Ésta se sen-

---

te conocido. A los resentidos que intentaron aprovechar, en mi ausencia, esta circunstancia, les ha caído encima el olvido que les corresponde y la dura vitalidad de este libro adolescente...".

[27] En "Latorre, Prado y mi propia sombra", Discurso de incorporación a la Facultad de Filosofía y Educación de la Universidad de Chile, de 30 de mayo de 1962. Publicado en *Discursos*, de Neruda y Parra, Nascimento, Santiago, 1962.

[28] En *La Nación*, Santiago, 20 de agosto de 1924.

[29] Buenos Aires, julio de 1932.

[30] "Fue, no solamente la revelación de un gran poeta, sino el nacimiento de una emoción que rompía moldes usuales y daba lugar a que las juventudes, de suyo ávidas e inflamables, se deci-

tiría representada por el autor, quien con intuición superior habría calado no sólo en el sentir propio sino también en el de muchos de sus lectores, particularmente de la gente joven. Tal explicación tiene un apoyo en lo que pudiera llamarse la realidad de la mujer o de las mujeres cantadas. Neruda mismo ha hablado de dos, Marisol y Marisombra. [31] Hoy sabemos con precisión que quien inspiró gran parte del libro fue Albertina Azócar, compañera de estudios, y hermana de un amigo de Neruda, el profesor y novelista Rubén Azócar; esposa, más adelante, del poeta Ángel Cruchaga Santa María. Se ha publicado la correspondencia entre Pablo y Albertina. [32] En la Carta 33 podemos leer: "Estoy arreglando los originales de mi libro *Veinte Poemas*

---

dieran a encararse con las fuertes e incontaminadas imágenes de la libertad expresiva... El nerudianismo apareció en nuestros países tras la primera edición de los Veinte poemas..." A. Cardona Peña, *Pablo Neruda y otros ensayos,* Edición de Andre, México, 1955, p. 18.

De la significación del libro en la poesía nueva, habría mucho que decir. Baste recordar dos títulos de poetas de diversas latitudes y estilos que se hermanan, no obstante, en la común inspiración en el joven Neruda: Christopher Logne, *The man who told his love (20 Poems based on Pablo Neruda's Los Cantos d'Amores),* Scorpion Press, London, 1958, y Héctor Francisco Madrigal, *Veinte poemas de fraternidad y una canción de esperanza a Pablo Neruda,* Santiago, 1985.

[31] "Siempre me han preguntado cuál es la mujer de los *Veinte poemas,* pregunta difícil de contestar. Las dos o tres que se entrelazan en esta melancólica y ardiente poesía corresponden, digamos, a Marisol y a Marisombra. Marisol es el idilio de la provincia encantada con inmensas estrellas nocturnas y ojos oscuros como el cielo mojado de Temuco. Ella figura con su alegría y su vivaz belleza en casi todas las páginas, rodeada por las aguas del puerto y por la media luna sobre las montañas. Marisombra es la estudiante de la capital. Boina gris, ojos suavísimos, el constante olor a madreselva del errante amor estudiantil, el sosiego físico de los apasionados encuentros en los escondrijos de la urbe" (*Confieso que he vivido,* ed. cit., pp. 75 y 76).

[32] *Cartas de amor de Pablo Neruda.* Recopilación, Introducción y Epílogo de Sergio Fernández Larraín, Rodas, Madrid, 1975. Preciso es también el nombre de otra joven que inspira alguno de los poemas de amor, Terusa. Cf. el *Album Terusa,* citado en la nota 5. Neruda hace mención de ella en *Memorial de Isla Negra.*

de Amor y una Canción Desesperada. Hay allí muchas cosas para mi Pequeña lejana." No sólo este apelativo, sino también otros menos corrientes —como muñeca— aparecen tanto en los poemas como en las cartas de amor.

Raúl Silva Castro, introductor del joven Neruda en la prensa de Santiago, subraya la sensualidad de los poemas amorosos. "En *Veinte poemas* —comenta— el motivo erótico es uniforme, por así decirlo, y a cada paso insurge en el verso." [33] La libertad y la falta de prejuicios permiten una celebración de la unión corporal que renueva la lírica amatoria [34] y que se expresa en un lenguaje espléndido. [35]

Para Mario Rodríguez, en cambio, en la raíz del libro yace la angustia de un Yo que apunta a la trascendencia y a la superación de su ineludible destino de muerte. La mujer divinizada es el elemento protector de su desvalimiento. En la realidad empero sólo se encuentra a la mujer corpórea, cuya posesión no satisface la ansiedad ilimitada. De allí nace la desesperación final. [36] El poema 1 y "La canción desesperada" dan especial apoyo a esta interpretación, que con algunas variantes han manifestado otros autores. [37]

Por su parte, Roberto Salama insiste en la identificación de la mujer con la tierra y con toda la materia, [38] postura contradicha por Alain Sicard, quien plantea el problema en los siguientes términos:

> Si debemos esquematizar y reducir a una sola imagen el caleidoscopio de siluetas y rostros femeninos que pre-

[33] Raúl Silva Castro, *Pablo Neruda*, Editorial Universitaria, Santiago, 1964, p. 50.

[34] Arturo Aldunate Phillips, *El nuevo arte poético y Pablo Neruda*, Nascimento, Santiago, 1936.

[35] A. Cardona Peña, ob. cit., p. 18.

[36] Mario Rodríguez, "Imagen de la mujer y el amor en un momento de la poesía de Pablo Neruda", *Anales de la Universidad de Chile*, 1962.

[37] Cf. de Hugo Montes, *Para leer a Neruda*, Francisco de Aguirre, Buenos Aires, 1974, pp. 20 a 22.

[38] Roberto Salama, *Para una crítica de Pablo Neruda*, ed. Cartago, Buenos Aires, 1957.

sentan los *Veinte poemas,* es, por el contrario, la imagen
de una mujer casi inmaterial la que estamos tentados de
retener. Es significativo que numerosos poemas pongan en
escena a una mujer silenciosa. [39]

Como se ve, el libro ha suscitado lecturas distintas y aun
antagónicas, que van desde el romanticismo idealizador hasta el crudo realismo sensorial, pasando por el escapismo si-
cológico y la crítica social.

Quizás en esta pluralidad potencial de lecturas resida
una primera clave para valorar la obra. En efecto, ella no
nos presenta sólo un tipo de amor ni contiene sólo un tono
para cantarlo. Si en *Crepusculario* la pluralidad temática
—naturaleza, amistad, amor, religión, familia, trabajo—
ocurría bajo el tono melancólico y vesperal que justificaba
el título, los poemas de amor, dentro de su cabal unidad
de temas en torno al amor del varón a la mujer, muestran
notas estivales y positivas —poemas 4 y 19, por ejemplo—
frente a las de acusada tristeza que ciertamente prevalecen,
y a la desesperación del poema último. Coexisten, por otra
parte, el amor apasionado y directo —poema 13— y el
amor mediatizado por el recuerdo y el afán literario, evi-
dentes en los poemas 15, 16 y 20.

La amada es "morena y ágil", de "cuerpo alegre", ojos
luminosos, con "boca que tiene la sonrisa del agua". Pero
también se habla del atlas blanco de su cuerpo (poema 13),
de su mirada en la que "emerge a veces la costa del espanto" (poema 7) y de su "cintura de niebla" (poema 3). A
veces es la hembra que se entrega en actitud parecida al
mundo (poema 1) y otras es la niña silenciosa que en las
tardes se aleja (poema 10).

No menos variado es el Yo que ama. De apasionado y
sensual pasa a amante angustiado, a pensativo molinero
taciturno (poema 17), a nostálgico y dubitativo evocador
de la amada lejana (poema 20) y a "pálido buzo ciego, des-

[39] *El pensamiento poético de Pablo Neruda,* Gredos, Madrid,
1981, p. 47.

venturado hondero / descubridor perdido", "abandonado como los muelles en el alba" ("La canción desesperada").

Hay sucesivos encuentros y desencuentros, hay amor actual y amor evocado a través del tiempo y de la distancia, hay plenitud ebria no menos que ternura y delicado acercamiento juvenil.

En esta pluralidad tonal, de tipos humanos y de vicisitudes amorosas, reside a nuestro juicio uno de los grandes aciertos del libro, al que inútilmente pretenderíamos encuadrar en visión única y excluyente.

Añádanse otras consideraciones que apuntan a la estructura de los poemas.

Muy precisa es en ellos la relación de los elementos humanos y de la naturaleza. No se da el amor, como en las *Rimas* de Bécquer, en el interior de un salón o de la alcoba. Prevalece, por el contrario, el amor junto al mar, bajo el cielo estrellado, en medio del viento y de la arena. El escenario es de grandes dimensiones; enmarca adecuadamente, no obstante, el encuentro singular de él y de ella, los que no se pierden en la naturaleza enorme. Puede hablarse de una evocación realista del paisaje. Neruda iba con frecuencia a la costa del Pacífico enfrente de Temuco. Allí, en Puerto Saavedra, conoció el mar. El río Imperial, que desemboca en ese pequeño puerto, lo ayudó a componer el libro:

> Me ayudó mucho a escribirlo un río y su desembocadura: el río Imperial. Los *Veinte Poemas* son el romance de Santiago, la Universidad y el olor a madreselvas del buen amor compartido. || Los trozos de Santiago están escritos entre la calle Echaurren y la Avenida España y dentro del antiguo edificio del Instituto Pedagógico, pero el panorama es siempre el de las aguas y los árboles del sur. [40]

---

[40] Conferencia pronunciada por Neruda en la Universidad de Chile, en enero de 1954. Cita tomada del Prólogo de Sergio Fernández Larraín al libro antes citado *Cartas de amor de Pablo Neruda*, p. 68.

PABLO NERUDA

veinte
poemas

de amor y
una canción
desesperada

EDITORIAL NASCIMENTO
Ahumada 125 — Santiago — Chile — 1924

Portada de la primera edición de *Veinte poemas de amor
y una Canción desesperada* (1924).

Fimbria rubia de un sol que no atardece nunca,
que no se va, que aún amarilla el ambiente,
con una humanidad de boca inmensa y pura
que nos madura el alma besándonos la frente.

Luminosa quietud de las cosas presentes.
Silenciosa advertencia de las cosas lejanas:
El dolor que renace junto al dolor que muere:
Sombra y lumbre que llegan por la misma ventana.

Líbrame de tu amor mujer lejana y bella
que por bella y lejana me dueles cada día:
Rompe las claras cuerdas, suelta las blancas velas
del barco que aprisionan tus manos todavía.

Y oh minuto no vuelvas a ser como ahora fuiste.
Mi alma errante y nostálgica a toda sed se enreda.
¡El mar inmenso y libre para nadie es más triste
que para un barco atado por anclas de oro y seda!

El poema 9 de la primera edición, «Fimbria rubia...».

De Puerto Saavedra, como "mar y soledad", habla el autor en una de sus Cartas de amor. [41] Allí, donde "el río anuda al mar su lamento obstinado", escribió "La canción desesperada". En la costa del sur es donde se da todo ese mundo de naufragios, de hora húmeda, de buzo ciego, de cinturón ruidoso del mar. Las evocaciones líricas tienen un marcado sabor autobiográfico, como en la siguiente estrofa del poema 13:

Yo que viví en un puerto desde donde te amaba.
La soledad cruzada de sueño y de silencio.
Acorralado entre el mar y la tristeza.
Callado, delirante, entre dos gondoleros inmóviles.

Doce de los veintiún poemas hacen referencias explícitas al mar, las playas, la ola, las naves, el puerto. Hay en ellos ojos oceánicos, humedad de alma, frenesí marino, agua devorante, peces sombríos, olas externas, faros, buzos, muelles, ancla. Es decir, un mundo oceánico evocado directamente o a través de comparaciones e imágenes o por medio de calificativos para realidades entrañables.

A la inmensidad del mar se une la inmensidad del cielo, casi siempre estrellado (poemas 14, 18, 20) o con luna fosforescente (poema 18). También los cerros, las montañas, la "vastedad de pinos" (poema 3) y el viento. Este sobre todo, que aparece en los poemas 4, 5, 8, 11, 12, 14, 17, 18 y 20. El poema 4 está construido en torno de esta realidad alada, dinámica, sutil, que posee un corazón innumerable y late sobre el silencio enamorado.

Ya se ve, una naturaleza de grandes dimensiones, a veces tempestuosa y difícil, a veces estival, siempre en relación con la pareja humana buscadora del amor. Funcional, dada esta última vinculación. No se canta al mar ni al viento en cuanto tales, sino en la medida que encuadran situaciones sentimentales, no importa si logradas o si malogradas.

[41] Carta 27.

Más todavía. El viento y el mar desempeñan en el libro tareas que pudiéramos llamar activas. Alcanzan cierta función protagónica en la relación amorosa del hombre y la mujer. El viento posee fuerzas avasalladoras, que superan las meramente humanas; es imposible luchar contra ellas. Golpea la ventana e invita a recogerse: "Ovíllate a mi lado como si tuvieras miedo" (poema 14). En el poema 4 el viento, de manos viajeras y corazón plural, presenta un carácter antropomórfico y por momentos desplaza a las personas. "El viento de la angustia" en otro caso (poema 5) arrastra las palabras de amor, las lleva a remotos confines y deja al amante en tristeza y soledad.

A menudo el mar actúa negativamente. Es "agua devorante" en el poema 9. Acorrala al amante: "acorralado entre el amor y la tristeza" (poema 13). Parece confundirse con la muerte en el poema 18: "A veces van mis besos en esos barcos graves / que corren por el mar hacia donde no llegan." En "La canción desesperada", el mar acompaña el abandono, la angustia, el naufragio que preside toda la composición. "Neruda identifica el mar con la voracidad del olvido", afirma un crítico, y cita en apoyo de su afirmación la estrofa "Todo te lo tragaste, como la lejanía. / Como el mar, como el tiempo. Todo en ti fue naufragio!", de "La canción desesperada". [42]

Predominan las horas nocturnas y vesperales, igual que en *Crepusculario*. El poema 18 es la excepción mayor, con el sol ansioso y capaz de fecundar. Crepúsculo y noche son el fondo adecuado a la tristeza que recorre lo más del li-

---

[42] Hernán Loyola, *Ser y morir de Pablo Neruda*, Editora Santiago, 1967, p. 77.
Carlos Santander destaca la pluralidad de significaciones del mar en el libro de Neruda. Textualmente: "El gran símbolo oceánico soporta en Veinte Poemas significaciones contradictorias donde se proyecta la propia naturaleza subjetiva del poeta. Su vocación de libertad, de ser inapresable como las aguas del mar que eluden todas las redes, y también sus temores de ser acosado o prisionero, de naufragar en lo fugaz y proceloso" ("Amor y temporalidad en *Veinte poemas de amor y una canción desesperada*", *Anales de la Universidad de Chile*, núms. 157-160, enero-diciembre de 1971, p. 92).

bro. "Ah tu voz lenta y triste!", "y llena es de tristeza", mis palabras "están acostumbradas más que tú a mi tristeza", "tiro mis tristes redes", "entre el mar y la tristeza", "mientras el viento triste galopa matando mariposas", la "furia triste", "son más tristes los muelles cuando atraca la tarde", "los versos más tristes", son expresiones que se encuentran sin mayor esfuerzo en los poemas de amor. Abundan también los términos similares, como "doliente" (poema 2), "dolor" (poema 5), "desventurado" ("La canción desesperada"). El opósito, no más que una vez: "tu cuerpo alegre" (poema 19).

La melancolía parece desplazar a la angustia. Hasta se da una suerte de complacencia en la tristeza misma. El dolor suele ser evocado como algo que ya pasó; o, si se quiere, la causa del sufrimiento actual yace en el pasado. La palabra "distante" no dice relación sólo con el espacio, sino también y de preferencia con el tiempo. La realidad va siendo literaturizada. Hay como un desdoblamiento en el hablante lírico, que tan pronto es el amante apasionado cuanto el cantor de la situación sentimental vivida antes. Este doble tiempo caracteriza el libro y le concede una distancia grata al lector, quizás también ambivalente y oscilante entre la pasión y la reflexión. La lucidez no está en el amor mismo ni ocurre en el momento de la unión; sobreviene luego, en horas serenas aunque tocadas de nostalgia. El Yo va y viene de ahora a entonces y de ayer a hoy. El desplazamiento da al conjunto ese tono triste y gustoso a la vez, que tanto atrae a muchos lectores.

El poema 20 admite un análisis particular desde este punto de vista. Ya el primer verso —reiterado con insistencia— expresa la doble situación: "Puedo escribir los versos más tristes esta noche." Se está en condiciones de evocar literariamente lo que ocurrió una vez, el amor de noches como ésta. Tal amor se ve a la distancia igual que algo que ya pasó: "Ya no la quiero, es cierto..." Con frecuencia se usa el pretérito: la besé, la tuve, la quise, me quiso, buscaba. Sólo que la evocación es de tal naturaleza y tan viva, que el pasado parece actualizarse con una fuerza capaz de generar sentimientos de creadora nostalgia. El

ayer invade el hoy colmándolo de una tristeza que a la vez
es vida y es arte; que puede incluso hacer revivir el amor
perdido: "Ya no la quiero, es cierto, pero tal vez la quiero." Quien une ambos momentos es un Yo melancólico,
protagonista y evocador de lo que un día remoto protago-
nizó. En tales condiciones es imposible la desesperación.

Algo similar ocurre en el poema 15, también con un reiterado verso distanciador: "Me gustas cuando callas porque estás como ausente." No es una distancia en el tiempo,
sino en la situación sentimental misma. Desde luego, el
"me gustas" es expresión corriente y poco apasionada, menos literaria y menos intensa que los "te quiero, te amo,
te deseo" frecuentes en otros poemas. Y luego la circunstancia: cuando callas. Sí, me gustas sólo en tales condiciones, siempre que se cumpla una modalidad de estar ante
mí, en silencio. Y más todavía, con una lógica desusual en
la lírica: porque estás como ausente. Es una confesión clara y curiosa. El amor ocurre sólo a la distancia, en la ausencia. Es como decir amo lo que no tengo, lo que una vez tuve
y ya perdí.

Repárese en que precisamente los poemas más célebres
del libro —el 15 y el 20— están estructurados en términos
de esta dualidad.

El más diferente de ellos es el poema 1, presidido por
la sensualidad del cuerpo femenino descrito crudamente.
La unión de cuerpo y cuerpo aparece desde el primer momento, sin tapujos. No se quiere disimular nada. Hay una
complacencia en el decir directo, en la expresión desnuda.
El poema debería llevar a una sensación de gozo. Curiosa-
mente, sin embargo, el texto termina con expresiones de dolor y de máxima insatisfacción:

> Cuerpo de mujer mía, persistiré en tu gracia.
> Mi sed, mi ansia sin límite, mi camino indeciso!
> Oscuros cauces donde la sed eterna sigue,
> y la fatiga sigue, y el dolor infinito.

De ordinario, en la poesía amorosa el sufrimiento surge
por la falta de correspondencia de la amada, por su ausen-

cia o por celos. Nada de eso hay aquí. Por el contrario, la unión ocurrió desde el inicio y fue corroborada con el fruto de la fecundidad: "y hace saltar el hijo del fondo de la tierra". La mujer ha sido presentada en una doble dimensión: como cuerpo y como tierra. Por una parte es sólo hembra; por otra, excede en sus dimensiones al ser humano. El varón también aparece bajo dos dimensiones, la meramente corporal y la de deseador infinito. La unión ocurrió entre el cuerpo masculino y la mujer (hembra-tierra). Faltó la unidad entre el hombre y la mujer plenamente humanos. Quizás esta deficiencia explique el desenlace del poema. Su angustia es sólo similar a la de "La canción desesperada". En medio queda el grueso del libro, con el tono de tristeza, con las notas de ausencia y lejanía, con el silencio de la amada y con la reflexión melancólica de quien ama, que hemos analizado en línea anteriores.

Veinte poemas de amor y una canción desesperada es libro que expresa una honda soledad. El amante, vuelto sobre sí mismo y sobre su inasible amada, vive la inmensidad de una naturaleza solitaria en la que ni siquiera hay huellas de otros seres humanos. Es una soledad angustiante, devoradora, que nada tiene que ver con la elogiada por los poetas y pensadores de la Antigüedad o del Renacimiento, ni con la exigida por los místicos cristianos para anticipar la visión beatífica. No tiene un correlato en la serenidad, sino en la inquietud. No trasciende sobre ella misma y sólo es fuente de un dinamismo buscador de ese tú que a fuerza de ser complejo y contradictorio resulta por momentos general y abstracto; ideal, en todo caso. Las horas crepusculares y nocturnas, ajenas a las del quehacer ordinario de los hombres, enmarcan adecuadamente la situación de soledad. Desde este punto de vista, estamos ante un libro ahistórico. Los esfuerzos por comunicarse con la amada y de romper, por consiguiente, el aislamiento fueron infructuosos. Se comprende el remate desesperado del último poema, suma y síntesis de la triste soledad que traspasa, en una forma u otra, lo más del libro.

Las palabras creadas en esta soledad no son uniformes. A veces se adelgazan "como las huellas de las gaviotas en las playas" (poema 5); a veces irrumpen con fuerza y llegan a aglomerarse y repetirse. En algunos casos asumen formas tradicionales de cuartetos (poemas 1, 3, 6, 9, 12, 15, 16, 19) y dísticos (poemas 4, 7, 20, "La canción desesperada"), pero en otros ocurren con gran libertad métrica. El modernismo, evidente en *Crepusculario*, va siendo abandonado en aras de una expresión más parca y más personal. Las comparaciones son simples y precisas. No hay musicalidad de sobra. Las frecuentes asonancias casi pasan inadvertidas al lector corriente. Hay cierta complacencia en los alejandrinos cadenciosos. René de Costa llama la atención acerca de la retórica ajena a la convención poética que usa Neruda. [43] No se olvide que la elaboración del libro sucede en el tiempo no sólo a la de *Crepusculario*, sino también a la de *El hondero entusiasta*, de publicación tardía. El tono acezante y lleno de suspensivos y exclamaciones de esta última obra fue sustituido exitosamente por una suerte de palabra intensa a la vez que controlada con sabiduría. La emoción de esa voz llega al lector de hoy no menos que al de hace medio siglo y presumiblemente llegará al del futuro. Posee indudable universalidad.

HUGO MONTES

---

[43] René de Costa, *The poetry of Pablo Neruda*, Harvard University Press, Cambridge, 1979, pp. 17 y ss.

NOTICIA BIBLIOGRÁFICA

L A primera edición de *Veinte poemas de amor y una canción desesperada* fue hecha por la Editorial Nascimento, Santiago de Chile, 1924. Apareció en el mes de junio. Es una edición esmerada a la vez que sobria. No lleva foliación. Los poemas aparecen siempre en página derecha y van precedidos, en hoja separada, del número respectivo, de Uno a Veinte. De modo análogo se presenta, también con título en hoja aparte, "La canción desesperada".

La segunda edición, asimismo de Nascimento, Santiago, julio de 1932, está foliada con letras desde la página uno hasta la noventa y nueve. Es una edición muy cuidada y hermosa. La precede una lista de las obras del autor y una Nota del editor, no firmada, en la que se afirma que la Editorial no ha economizado los medios para dar a la obra de Neruda la presentación que se merece. Añade: "A su regreso de Asia y Oceanía, donde permaneció por espacio de algunos años, el autor de *Veinte poemas de amor* nos da hoy una segunda edición de este libro con varios poemas corregidos y un poema rehecho (el número 2) donde se muestra el dominio de los elementos de la poesía que tiene su autor, ya que estas correcciones perfeccionan y aumentan ciertamente la belleza del libro."

La segunda edición pasó a ser la definitiva y ha sido reeditada constantemente hasta hoy. En 1961, Losada, Buenos Aires, lanzaba la edición conmemorativa del primer millón de ejemplares del libro. En 1972, un año antes del fallecimiento del autor, se conmemoraba la publicación de los dos millones de ejemplares.

BIBLIOGRAFÍA SELECTA *

I. Libros de Pablo Neruda

Crepusculario, Claridad, Santiago, 1923.
Veinte poemas de amor y una canción desesperada, Nascimento, Santiago, 1924.
Tentativa del hombre infinito, Nascimento, Santiago, 1926.
Anillos (en colaboración con Tomás Lago), Nascimento, Santiago, 1926.
El habitante y su esperanza, Nascimento, Santiago, 1926.
El hondero entusiasta, Nascimento, Santiago, 1933.
Residencia en la tierra, Nascimento, Santiago, 1933.
Tercera Residencia (comprende "España en el corazón", 1938), Losada, Buenos Aires, 1947.
Canto General, Ediciones Océano, México, 1950.
Los versos del capitán, edición privada y anónima, 1950.
Las uvas y el viento, Nascimento, Santiago, 1954.
Odas elementales, Losada, Buenos Aires, 1954.
Viajes, Nascimento, Santiago, 1955.
Nuevas odas elementales, Losada, Buenos Aires, 1956.
Tercer libro de las odas, Losada, Buenos Aires, 1956.

* Referencia sólo a primeras ediciones. (Entiéndase siempre Santiago de Chile.)
Para consultas bibliográficas, véase de Alfonso Escudero "Fuentes para el conocimiento de Pablo Neruda", en *Obras Completas* de Neruda, Losada, Buenos Aires, 1973, cuarta edición (ampliaciones por Patricia Arce y Roberto Alderete) y de Hernán Loyola, "La obra de Pablo Neruda", *Idem.*, pp. 911 y siguientes.
Cf. también "Fuentes para el conocimiento de Pablo Neruda" de Enrico Mario Santi, en *Simposio Pablo Neruda. Actas*, University of South Carolina, Las Américas, 1975, pp. 355 a 382.

Estravagario, Losada, Buenos Aires, 1958.
Navegaciones y regresos, Losada, Buenos Aires, 1959.
Cien sonetos de amor, Losada, Buenos Aires, 1959.
Canción de gesta, La Habana, 1960.
Las piedras de Chile, Losada, Buenos Aires, 1961.
Cantos ceremoniales, Losada, Buenos Aires, 1961.
Plenos poderes, Losada, Buenos Aires, 1962.
Discursos (con Nicanor Parra), Nascimento, Santiago, 1962.
Memorial de Isla Negra, Losada, Buenos Aires, 1964.
Comiendo en Hungría (en colaboración con Miguel A. Asturias). Publicación simultánea en cuatro idiomas, 1965.
Arte de pájaros, Sociedad de Amigos del Arte Contemporáneo, Santiago, 1966.
La casa en la arena, Lumen, Barcelona, 1966.
Fulgor y muerte de Joaquín Murieta, Zig Zag, Santiago, 1967.
La Barcarola, Losada, Buenos Aires, 1967.
Las manos del día, Losada, Buenos Aires, 1968.
Fin del mundo, Losada, Buenos Aires, 1969.
Aun, Losada, Buenos Aires, 1969.
La espada encendida, Losada, Buenos Aires, 1970.
Las piedras del cielo, Losada, Buenos Aires, 1970.
Geografía infructuosa, Losada, Buenos Aires, 1972.
Invitación al nixonicidio y alabanza de la revolución chilena, Quimantú, Santiago, 1973.
Confieso que he vivido. Memorias, Losada, Buenos Aires, 1974.
La rosa separada, Losada, Buenos Aires, 1974.
Jardín de invierno, Losada, Buenos Aires, 1974.
El corazón amarillo, Losada, Buenos Aires, 1974.
Libro de las preguntas, Losada, Buenos Aires, 1974.
Elegía, Losada, Buenos Aires, 1974.
Defectos escogidos, Losada, Buenos Aires, 1974.
El mar y las campanas, Losada, Buenos Aires, 1974.
Cartas a Laura, Ediciones Cultura Hispánica, Madrid, 1978.
Para nacer he nacido,
El río invisible, Seix Barral, Barcelona, 1980.

II. PRINCIPALES LIBROS ACERCA DE PABLO NERUDA

Aguirre, Margarita, *Genio y figura de Pablo Neruda*, Eudeba, Buenos Aires, 1964. Reelaborado bajo el título *Las vidas de Pablo Neruda*, Zig Zag, Santiago, 1967.

Alazraki, Jaime, *Poética y poesía de Pablo Neruda*, Las Américas Publishing Company, N. York, 1965.

Alonso, Amado, *Poesía y estilo de Pablo Neruda*, Losada, Buenos Aires, 1940.

Cardona Peña, Alfredo, *Pablo Neruda y otros ensayos*, De Andrea, México, 1955.

Concha, Jaime, *Neruda*, Universitaria, Santiago, 1972.

De Costa, René, *The Poetry of Pablo Neruda*, Harvard University Press, Cambridge, 1979.

Durán, Manuel, y Safir, Margarita, *Earth Tones. The Poetry of Pablo Neruda*, Indiana University Press, Bloomington, 1981.

Gatell, Angelina, *Neruda*, EPESA, Madrid, 1971.

Hamilton, Carlos, *Pablo Neruda, poeta chileno universal*, Santiago, 1972.

Lora Risco, Alejandro, *Crítica de la poesía mestiza*, Academia Superior de Ciencias Pedagógicas, Santiago, 1982.

Loyola, Hernán, *Ser y morir en Pablo Neruda*, Ed. Santiago, Santiago, 1967.

Marcenac, Jean, *Pablo Neruda*, Pierre Seghers editeur, 1963.

Melis, Antonio, *Neruda*, Il Castoro, Firenze, 1970.

Montes, Hugo, *Para leer a Neruda*, Francisco de Aguirre, Buenos Aires, 1974.

Morris, E. Carson, *Pablo Neruda: regresó el caminante*, Plaza Mayor Ediciones, N. York, 1971.

Osorio, Nelson, y Moreno, Fernando, *Claves de Pablo Neruda*, Ediciones Universitarias de Valparaíso, 1971.

Paseyro, Ricardo, y otros, *Mito y verdad de Pablo Neruda*, Asociación Mexicana por la libertad de la cultura, México, 1958.

Rodríguez Monegal, Emir, *El viajero inmóvil*, Losada, Buenos Aires, 1966.

Rodríguez Monegal, Emir, y Santi Enrico, Mario (edición de), *Pablo Neruda*, Taurus, Madrid, 1980.

Rosales, Luis, *La poesía de Neruda*, Editora Nacional, Madrid, 1978.

Salama, Roberto, *Para una crítica de Pablo Neruda*, Editorial Cartago, Buenos Aires, 1957.

Sicard, Alain, *El pensamiento poético de Pablo Neruda*, Gredos, Madrid, 1981.

Silva Castro, Raúl, *Pablo Neruda,* Universitaria, Santiago, 1964.
Teitelboin, Volodia, *Neruda*, Meridiam, Ediciones Michay, Madrid, 1984.

NOTA PREVIA

Reproducimos la segunda edición (véase *Noticia bibliográfica*), de 1932, pero indicamos en las notas respectivas las variantes que el autor introdujo en la primera. Materialmente nos basamos en el texto reproducido en el tomo I de las *Obras Completas* de Neruda, Losada, Buenos Aires, 1974, que el poeta alcanzó a revisar personalmente poco antes de morir.

H. M.

VEINTE POEMAS DE AMOR
Y UNA
CANCIÓN DESESPERADA

Veinte poemas de amor

1

Cuerpo de mujer, blancas colinas, muslos blancos,
te pareces al mundo en tu actitud de entrega.
Mi cuerpo de labriego salvaje te socava
y hace saltar el hijo del fondo de la tierra.

Fui solo como un túnel. De mí huían los pájaros
y en mí la noche entraba su invasión poderosa.
Para sobrevivirme te forjé como un arma,
como una flecha en mi arco, como una piedra en mi honda.

Pero cae la hora de la venganza, y te amo.
Cuerpo de piel, de musgo, de leche ávida y firme.
Ah los vasos del pecho! Ah los ojos de ausencia!
Ah las rosas del pubis! Ah tu voz lenta y triste!

Cuerpo de mujer mía, persistiré en tu gracia.
Mi sed, mi ansia sin límite, mi camino indeciso!
Oscuros cauces donde la sed eterna sigue,
y la fatiga sigue, y el dolor infinito.

Cuartetas en versos alejandrinos, con una leve cesura casi siempre en el centro de cada verso. Rima asonante en los pares.

Los versos 3 y 4 expresan con claridad una de las constantes nerudianas, la identificación del Yo y del ser amado con la tierra.

En el verso sexto sorprende el carácter transitivo dado a la forma verbal "entraba".

2

En su llama mortal la luz te envuelve.
Absorta, pálida doliente, así situada
contra las viejas hélices del crepúsculo
que en torno a ti da vueltas.

Muda, mi amiga,
sola en lo solitario de esta hora de muertes
y llena de las vidas del fuego,
pura heredera del día destruido.

Del sol cae un racimo en tu vestido oscuro.
De la noche las grandes raíces
crecen de súbito desde tu alma,
y a lo exterior regresan las cosas en ti ocultas,
de modo que un pueblo pálido y azul
de ti recién nacido se alimenta.

Oh grandiosa y fecunda y magnética esclava
del círculo que en negro y dorado sucede:
erguida, trata y logra una creación tan viva
que sucumben sus flores, y llena es de tristeza.

Versos libres y sin rima.

En el primer verso de la última estrofa, el poeta recurre —al igual que en el remate del poema 1— al polisíndeton, que da fluidez y cierta solemnidad a la expresión.

El final del último verso —"y llena es de tristeza"— evoca el "llena de gracia" de la principal oración mariana.

El poema era más pobre en la primera edición. Decía así:

> La última luz te envuelve
> en su llama mortal.
>
> Doliente. Seria. Absorta.
>
> Detrás de ti da vueltas
> el carroussel de las estrellas.
>
> Doliente. Absorta. Muda,
> estás diciendo una palabra inmensa.
>
> Doliente. Absorta. Pálida.
>
> Un racimo de sol
> me dice adiós desde tu vestido oscuro.
>
> Detrás de ti se aleja
> la hélice infinita del crepúsculo.

3

Ah vastedad de pinos, rumor de olas quebrándose,
lento juego de luces, campana solitaria,
crepúsculo cayendo en tus ojos, muñeca,
caracola terrestre, en ti la tierra canta!

En ti los ríos cantan y mi alma en ellos huye
como tú lo desees y hacia donde tú quieras.
Márcame mi camino en tu arco de esperanza
y soltaré en delirio mi bandada de flechas.

En torno a mí estoy viendo tu cintura de niebla
y tu silencio acosa mis horas perseguidas,
y eres tú con tus brazos de piedra transparente
donde mis besos anclan y mi húmeda ansia anida.

Ah tu voz misteriosa que el amor tiñe y dobla
en el atardecer resonante y muriendo!
Así en horas profundas sobre los campos he visto
doblarse las espigas en la boca del viento.

Cuartetas en alejandrinos con asonancias en los versos pares.

La expresión exclamativa inicial —que se repite en la estrofa
cuarta— recuerda las reiteradas exclamaciones en "Ah" de la
penúltima estrofa del poema 1.

"Arco, flecha, piedra" son palabras comunes para los poemas 1
y 3, que intensifican su interrelación. Igualmente telúrica es en
ambos poemas la amada, ahora caracola terrestre con cintura de
niebla en la cual cantan la tierra y los ríos.

4

Es la mañana llena de tempestad
en el corazón del verano.

Como pañuelos blancos de adiós viajan las nubes,
el viento las sacude con sus viajeras manos.

Innumerable corazón del viento
latiendo sobre nuestro silencio enamorado.

Zumbando entre los árboles, orquestal y divino,
como una lengua llena de guerras y de cantos.

Viento que lleva en rápido robo la hojarasca
y desvía las flechas latientes de los pájaros.

Viento que la derriba en ola sin espuma
y sustancia sin peso, y fuegos inclinados.

Se rompe y se sumerge su volumen de besos
combatido en la puerta del viento del verano.

Dísticos libres con tendencia al alejandrino. Monorrima asonante en los versos pares.

Éste es uno de los pocos poemas que alude a horas mañaneras y al estío.

El poema 4 fue publicado en la revista *Claridad,* núm. 109, Santiago, el 13 de octubre de 1923, bajo el título "La tempestad". Tal publicación fue acogida en la edición primera del libro. Decía así:

> Es la mañana llena de tempestad
> en el corazón del verano.
>
> Como pañuelos blancos de adiós viajan las nubes
> el viento las sacude con sus viajeras manos.
>
> Innumerable corazón del viento
> latiendo sobre nuestro silencio enamorado.
>
> Zumbando entre los árboles, orquestal y divino,
> como una lengua llena de guerras y de cantos.
>
> Viento que lleva en rápido robo la hojarasca
> y desvía las flechas latientes de los pájaros.
>
> Viento que la retiene, ¡tan pequeña y tan dulce!
> como una hojita seca caída entre mis brazos.

Sobre el poema 4 ha dicho el autor: "Lo escribí cuando amenazaba la tempestad en el verano del Sur. Ella y yo estábamos tendidos bajo un gran árbol, de pronto las ráfagas del vendaval nos envuelven… y eso es todo." (Testimonio recogido por Luz Machado, en *Cinco conferencias de Pablo Neruda,* Cuadernos de Crítica Literaria, Universidad Central de Venezuela, Caracas, 1975, p. 20.)

5

P ara que tú me oigas
mis palabras
se adelgazan a veces
como las huellas de las gaviotas en las playas.

Collar, cascabel ebrio
para tus manos suaves como las uvas.

Y las miro lejanas mis palabras.
Más que mías son tuyas.
Van trepando en mi viejo dolor como las yedras.

Ellas trepan así por las paredes húmedas.
Eres tú la culpable de este juego sangriento.

Ellas están huyendo de mi guarida oscura.
Todo lo llenas tú, todo lo llenas.

Antes que tú poblaron la soledad que ocupas,
y están acostumbradas más que tú a mi tristeza.

Ahora quiero que digan lo que quiero decirte
para que tú las oigas como quiero que me oigas.

El viento de la angustia aún las suele arrastrar.
Huracanes de sueños aún a veces las tumban.
Escuchas otras voces en mi voz dolorida.

Llanto de viejas bocas, sangre de viejas súplicas.
Ámame, compañera. No me abandones. Sígueme.
Sígueme, compañera, en esa ola de angustia.

Pero se van tiñendo con tu amor mis palabras.
Todo lo ocupas tú, todo lo ocupas.

Voy haciendo de todas un collar infinito
para tus blancas manos, suaves como las uvas.

Verso libre, carencia de rimas, estrofas de extensión irregular.

Aliteraciones y juegos reiterativos de palabras en la estrofa sép-
tima: "quiero que... que quiero... que... como quiero que...", de
una parte; de otra, "digan... decirte..." y "oigas... oigas".

El poema se complace en estas reiteraciones, fáciles de encontrar
en todas sus estrofas. Particularmente feliz es la comparación, también reiterada, de las "manos suaves como las uvas".

En la edición de 1924, el verso 12 decía: "Estas están huyendo
de mi guarida oscura". El cambio, introducido ya en la edición
de 1932, se justifica para evitar la aliteración entre las dos primeras palabras.

Asimismo difiere un tanto la distribución de los versos en estrofas, ya que el texto de 1924 une las que en el actual aparecen
como tercera, cuarta y quinta.

6

Te recuerdo como eras en el último otoño.
Eras la boina gris y el corazón en calma.
En tus ojos peleaban las llamas del crepúsculo.
Y las hojas caían en el agua de tu alma.

Apegada a mis brazos como una enredadera,
las hojas recogían tu voz lenta y en calma.
Hoguera de estupor en que mi sed ardía.
Dulce jacinto azul torcido sobre mi alma.

Siento viajar tus ojos y es distante el otoño:
boina gris, voz de pájaro y corazón de casa
hacia donde emigraban mis profundos anhelos
y caían mis besos alegres como brasas.

Cielo desde un navío. Campo desde los cerros.
Tu recuerdo es de luz, de humo, de estanque en calma!
Más allá de tus ojos ardían los crepúsculos.
Hojas secas de otoño giraban en tu alma.

Uno de los poemas más célebres del libro. Cuartetas alejandrinas con monorrima asonante. Repetición muy libre de palabras finales de verso: calma, alma.

Recuérdense las palabras de Neruda en *Confieso que he vivido*: "Marisombra es la estudiante de la capital. Boina gris, ojos suavísimos, el constante olor a madreselva del errante amor estudiantil, el sosiego físico de los apasionados encuentros en los escondrijos de la urbe" (ed. cit., p. 76).

El poema 6 apareció en el diario *El Mercurio,* Santiago, el 30 de agosto de 1924.

7

Inclinado en las tardes tiro mis tristes redes
a tus ojos oceánicos.

Allí se estira y arde en la más alta hoguera
mi soledad que da vueltas los brazos como un náufrago.

Hago rojas señales sobre tus ojos ausentes
que olean como el mar a la orilla de un faro.

Sólo guardas tinieblas, hembra distante y mía,
de tu mirada emerge a veces la costa del espanto.

Inclinado en las tardes echo mis tristes redes
a ese mar que sacude tus ojos oceánicos.

Los pájaros nocturnos picotean las primeras estrellas
que centellean como mi alma cuando te amo.

Galopa la noche en su yegua sombría
desparramando espigas azules sobre el campo.

Dísticos de extensión irregular, con monorrima en los versos pares.

El poema coincide en diversas imágenes y expresiones con el fragmento inicial de *El hondero entusiasta,* escrito en 1923. Así, el primer verso de éste —"Hago girar mis brazos como dos aspas locas..."— se repite con ligera variante en el verso cuarto del poema. Ambos textos hablan de fuego u hoguera, usan la forma verbal nada corriente "centellean", están ambientados en mar y campo a la vez y se dan en un tono intenso, superlativo.

En el verso tercero sorprende el uso del verbo "olear", expresiva creación idiomática del joven Neruda.

Pablo Neruda. Retrato de 1924, fecha de la publicación de
Veinte poemas de amor y una Canción desesperada.

Pablo Neruda en su madurez.

8

Abeja blanca zumbas —ebria de miel— en mi alma
y te tuerces en lentas espirales de humo.

Soy el desesperado, la palabra sin ecos,
el que lo perdió todo, y el que todo lo tuvo.

Última amarra, cruje en ti mi ansiedad última.
En mi tierra desierta eres la última rosa.

Ah silenciosa!

Cierra tus ojos profundos. Allí aletea la noche.
Ah desnuda tu cuerpo de estatua temerosa.

Tienes ojos profundos donde la noche alea.
Frescos brazos de flor y regazo de rosa.

Se parecen tus senos a los caracoles blancos.
Ha venido a dormirse en tu vientre una mariposa de sombra.

Ah silenciosa!

He aquí la soledad de donde estás ausente:
Llueve. El viento del mar caza errantes gaviotas.

El agua anda descalza por las calles mojadas.
De aquel árbol se quejan, como enfermos, las hojas.

75

Abeja blanca, ausente, aún zumbas en mi alma.
Revives en el tiempo, delgada y silenciosa.

Ah silenciosa!

El poeta altera en varios versos los alejandrinos predominantes
en el poema. También mezcla libremente asonancias y rimas con-
sonantes.

Curioso uso de la palabra "alea" que, aunque está registrada
en el Diccionario académico, en Chile al menos no se emplea
prácticamente nunca.

Poema intenso y sensual, que por momentos evoca el poema 1.
La imagen inicial "Abeja blanca" reaparece en la estrofa última,
dando al conjunto plena unidad. La variante "aún zumbas en mi
alma" reafirma la temporalidad que traspasa el poema, evidente ya
en su verso cuarto.

9

Ebrio de trementina y largos besos,
estival, el velero de las rosas dirijo,
torcido hacia la muerte del delgado día,
cimentado en el sólido frenesí marino.

Pálido y amarrado a mi agua devorante
cruzo en el agrio olor del clima descubierto,
aún vestido de gris y sonidos amargos,
y una cimera triste de abandonada espuma.

Voy, duro de pasiones, montado en mi ola única,
lunar, solar, ardiente y frío, repentino,
dormido en la garganta de las afortunadas
islas blancas y dulces como caderas frescas.

Tiembla en la noche húmeda mi vestido de besos
locamente cargado de eléctricas gestiones,
de modo heroico dividido en sueños
y embriagadoras rosas practicándose en mí.

Aguas arriba, en medio de las olas externas,
tu paralelo cuerpo se sujeta en mis brazos
como un pez infinitamente pegado a mi alma
rápido y lento en la energía subceleste.

Este poema aparece sólo a partir de la segunda edición del libro. El poema correspondiente, de la edición de 1924, decía así:

> Fimbria rubia de un sol que no atardece nunca,
> que no se va, que aún amarilla el ambiente,
> con una humanidad de boca inmensa y pura
> que nos madura el alma besándonos la frente.
>
> Luminosa quietud de las cosas presentes.
> Silenciosa advertencia de las cosas lejanas:
> El dolor que renace junto al dolor que muere:
> Sombra y lumbre que llegan por la misma ventana.
>
> Líbrame de tu amor mujer lejana y bella
> que por bella y lejana me dueles cada día.
> Rompe las claras cuerdas, suelta las blancas velas
> del barco que aprisionan tus manos todavía.
>
> Y oh minuto no vuelvas a ser como ahora fuiste.
> Mi alma errante y nostálgica a toda sed se enreda.
> ¡El mar inmenso y libre para nadie es más triste
> que para un barco atado por anclas de oro y seda!

Ciertamente el nuevo poema, superior al primero, corresponde al tono y al estilo de *Residencia en la tierra*. Es un texto más hermético que el de 1924, con adjetivación distinta ("eléctricas... subceleste"), con gerundios curiosos ("practicándose") y asociaciones libres de resonancias oníricas.

En el libro *El río invisible* (ed. cit.), el poema primitivo se transcribe con el título "El prisionero".

10

Hemos perdido aun este crepúsculo.
Nadie nos vio esta tarde con las manos unidas
mientras la noche azul caía sobre el mundo.

He visto desde mi ventana
la fiesta del poniente en los cerros lejanos.

A veces como una moneda
se encendía un pedazo de sol entre mis manos.

Yo te recordaba con el alma apretada
de esa tristeza que tú me conoces.

Entonces, dónde estabas?
Entre qué gentes?
Diciendo qué palabras?
Por qué se me vendrá todo el amor de golpe
cuando me siento triste, y te siento lejana?

Cayó el libro que siempre se toma en el crepúsculo,
y como un perro herido rodó a mis pies mi capa.

Siempre, siempre te alejas en las tardes
hacia donde el crepúsculo corre borrando estatuas.

Único poema del libro que se inicia en plural con precisa alusión a la unidad de él y ella.

La segunda estrofa evoca una realidad geográfica chilena: el ocaso del sol por la Cordillera de la Costa. Entre ésta y la Cordillera de los Andes se extiende el valle de Santiago, donde el poeta escribe parte de su libro.

La edición de 1924 unía en una misma estrofa las cuarta y quinta de la presente.

11

Casi fuera del cielo ancla entre dos montañas
la mitad de la luna.
Girante, errante noche, la cavadora de ojos.
A ver cuántas estrellas trizadas en la charca.

Hace una cruz de luto entre mis cejas, huye.
Fragua de metales azules, noches de las calladas luchas,
mi corazón da vueltas como un volante loco.
Niña venida de tan lejos, traída de tan lejos,
a veces fulgurece su mirada debajo del cielo.
Quejumbre, tempestad, remolino de furia,
cruza encima de mi corazón, sin detenerte.
Viento de los sepulcros acarrea, destroza, dispersa tu raíz
[soñolienta.
Desarraiga los grandes árboles al otro lado de ella.
Pero tú, clara niña, pregunta de humo, espiga.
Era la que iba formando el viento con hojas iluminadas.
Detrás de las montañas nocturnas, blanco lirio de incendio,
ah nada puedo decir! Era hecha de todas las cosas.

Ansiedad que partiste mi pecho a cuchillazos,
es hora de seguir otro camino, donde ella no sonría.
Tempestad que enterró las campanas, turbio revuelo de
[tormentas
para qué tocarla ahora, para qué entristecerla.

Ay seguir el camino que se aleja de todo,
donde no esté atajando la angustia, la muerte, el invierno,
con sus ojos abiertos entre el rocío.

La edición de 1924 distribuía los versos de este poema sólo en
dos estrofas. La segunda comenzaba con el verso "Ay seguir el
camino que se aleja de todo".

12

Para mi corazón basta tu pecho,
para tu libertad bastan mis alas.
Desde mi boca llegará hasta el cielo
lo que estaba dormido sobre tu alma.

Es en ti la ilusión de cada día.
Llegas como el rocío a las corolas.
Socavas el horizonte con tu ausencia.
Eternamente en fuga como la ola.

He dicho que cantabas en el viento
como los pinos y como los mástiles.
Como ellos eres alta y taciturna.
Y entristeces de pronto, como un viaje.

Acogedora como un viejo camino.
Te pueblan ecos y voces nostálgicas.
Yo desperté y a veces emigran y huyen
pájaros que dormían en tu alma.

Cuartetas endecasílabas con asonancia en los versos pares. El verso séptimo, dodecasílabo, rompe la regularidad métrica.

La primera estrofa —algo retórica— presenta el cruce característico del sentir de los amantes, que ya ocurría en *Crepusculario*: "Cuando yo muerda un fruto tú sabrás su delicia. / Cuando cierres los ojos me quedaré dormido" ("Pelleas y Melisanda").

El resto del poema se construye fundamentalmente con comparaciones encabezadas en seis ocasiones con la conjunción "como". Sobresale por su originalidad la del final de la penúltima estrofa: "Y entristeces de pronto, como un viaje".

13

He ido marcando con cruces de fuego
el atlas blanco de tu cuerpo.
Mi boca era una araña que cruzaba escondiéndose.
En ti, detrás de ti, temerosa, sedienta.

Historias que contarte a la orilla del crepúsculo,
muñeca triste y dulce, para que no estuvieras triste.
Un cisne, un árbol, algo lejano y alegre.
El tiempo de las uvas, el tiempo maduro y frutal.

Yo que viví en un puerto desde donde te amaba.
La soledad cruzada de sueño y de silencio.
Acorralado entre el mar y la tristeza.
Callado, delirante, entre dos gondoleros inmóviles.

Entre los labios y la voz, algo se va muriendo.
Algo con alas de pájaro, algo de angustia y de olvido.
Así como las redes no retienen el agua.
Muñeca mía, apenas quedan gotas temblando.
Sin embargo, algo canta entre estas palabras fugaces.
Algo canta, algo sube hasta mi ávida boca.
Oh poder celebrarte con todas las palabras de alegría.
Cantar, arder, huir, como un campanario en las manos de
                                      [un loco.
Triste ternura mía, qué te haces de repente?
Cuando he llegado al vértice más atrevido y frío
mi corazón se cierra como una flor nocturna.

Luis Rosales hace notar que cada una de las cuatro estrofas de
este poema representa una mutación argumental. Y añade: "El
poema 13 me gusta. No importan sus desigualdades: todo poema
las tiene. Su concisión es grande... su realización es afortunada
y sus innovaciones sugerentes" (*La poesía de Neruda,* ed. cit., páginas 20 a 23).

Sugerente es el verso "Entre los labios y la voz, algo se va muriendo". El pronombre indefinido, reiterado cuatro veces, da la
tónica de misterio y vaguedad del poema.

La edición de 1924 reunía en una las cuatro estrofas de ésta.

14

Juegas todos los días con la luz del universo.
Sutil visitadora, llegas en la flor y en el agua.
Eres más que esta blanca cabecita que aprieto
como un racimo entre mis manos cada día.

A nadie te pareces desde que yo te amo.
Déjame tenderte entre guirnaldas amarillas.
Quién escribe tu nombre con letras de humo entre las
[estrellas del sur?

Ah déjame recordarte cómo eras entonces, cuando aún no
[existías.

De pronto el viento aúlla y golpea mi ventana cerrada.
El cielo es una red cuajada de peces sombríos.
Aquí vienen a dar todos los vientos, todos.
Se desviste la lluvia.

Pasan huyendo los pájaros.
El viento. El viento.
Yo sólo puedo luchar contra la fuerza de los hombres.
El temporal arremolina hojas oscuras
y suelta todas las barcas que anoche amarraron al cielo.

Tú estás aquí. Ah tú no huyes.
Tú me responderás hasta el último grito.
Ovíllate a mi lado como si tuvieras miedo.
Sin embargo alguna vez corrió una sombra extraña por tus
[ojos.

Ahora, ahora también, pequeña, me traes madreselvas,
y tienes hasta los senos perfumados.
Mientras el viento triste galopa matando mariposas
yo te amo, y mi alegría muerde tu boca de ciruela.

Cuánto te habrá dolido acostumbrarte a mí,
a mi alma sola y salvaje, a mi nombre que todos ahuyentan.
Hemos visto arder tantas veces el lucero besándonos los
                                                    [ojos
y sobre nuestras cabezas destorcerse los crepúsculos en
                                              [abanicos girantes.
Mis palabras llovieron sobre ti acariciándote.
Amé desde hace tiempo tu cuerpo de nácar soleado.
Hasta te creo dueña del universo.
Te traeré de las montañas flores alegres, copihues,
avellanas oscuras, y cestas silvestres de besos.

Quiero hacer contigo
lo que la primavera hace con los cerezos.

Luego del genérico "luz del universo", el poema presenta la
naturaleza típica del Chile austral: estrellas del sur, lluvia y viento,
copihues (flor nacional de Chile), avellanos oscuros. Es el poema
con mayor colorido local del libro.

Curioso y creativo es el empleo de la forma verbal "destorcerse"
y grandiosa la imagen que sigue: "y sobre nuestras cabezas destorcerse los crepúsculos en abanicos girantes".

El poema 14 apareció en la revista *Claridad*, núm. 121, Santiago,
mayo de 1924.

En las ediciones iniciales, el verso tercero terminaba con la
palabra "apreto"; el error fue corregido. En el verso 21, la
primera edición decía "estraña". La palabra pasó a "extraña", ya
en la edición de 1932.

En la primera edición la distribución de versos en estrofas era
diferente. En total sólo había cuatro, las dos primeras coincidentes
con el texto transcrito por nosotros; las otras dos comenzaban,
respectivamente, en los versos "De pronto el viento aúlla y golpea
mi ventana cerrada" y "Cuánto te habrá dolido acostumbrarte
a mí".

VEINTE POEMAS

de amor y
una canción
desesperada

por

PABLO NERUDA

NASCIMENTO
MCMXXXII

Portada facsímil de la segunda edición de *Veinte poemas de amor y una Canción desesperada* (1932).

Ebrio de trementina y largos besos,
estival, el velero de las rosas dirijo,
torcido hacia la muerte del delgado día,
cimentado en el sólido frenesí marino.

Pálido y amarrado a mi agua devorante
cruzo en el agrio olor del clima descubierto,
aún vestido de gris y sonidos amargos,
y una cimera triste de abandonada espuma.

Voy, duro de pasiones, montado en mi ola única,
lunar, solar, ardiente y frío, repentino,
dormido en la garganta de las afortunadas,
islas blancas y dulces como caderas frescas.

Poema 9 de la segunda edición, «Ebrio de trementina...».

15

Me gustas cuando callas porque estás como ausente,
y me oyes desde lejos, y mi voz no te toca.
Parece que los ojos se te hubieran volado
y parece que un beso te cerrara la boca.

Como todas las cosas están llenas de mi alma,
emerges de las cosas, llena del alma mía.
Mariposa de sueño, te pareces a mi alma,
y te pareces a la palabra melancolía.

Me gustas cuando callas y estás como distante.
Y estás como quejándote, mariposa en arrullo.
Y me oyes desde lejos, y mi voz no te alcanza:
déjame que me calle con el silencio tuyo.

Déjame que te hable también con tu silencio
claro como una lámpara, simple como un anillo.
Eres como la noche, callada y constelada.
Tu silencio es de estrella, tan lejano y sencillo.

Me gustas cuando callas porque estás como ausente.
Distante y dolorosa como si hubieras muerto.
Una palabra entonces, una sonrisa bastan.
Y estoy alegre, alegre de que no sea cierto.

Cuartetas en alejandrinos con rima consonante en los pares.

Los poemas 15 y 20 han llegado a ser populares en diversos países de la comunidad hispánica; en Chile, desde luego.

Sorprende la capacidad de síntesis revelada en cada imagen. Hay sencillez y máxima claridad en las comparaciones, sobre todo en la estrofa cuarta.

Original es el parecido de la amada con la palabra "melancolía", la que cobra una suerte de corporeidad espiritual de gran efecto poético.

El final que suprime, por así decirlo, todo lo antes dicho en el poema, recuerda el texto "Los puentes", de Rimbaud, poeta muy leído y admirado por Neruda.

El poema 15 fue publicado en la revista *Zig Zag,* núm. 985, Santiago, 5 de enero de 1924, con el título "Poesía de mi silencio".

16

Paráfrasis a R. Tagore

En mi cielo al crepúsculo eres como una nube
y tu color y forma son como yo los quiero.
Eres mía, eres mía, mujer de labios dulces,
y viven en tu vida mis infinitos sueños.

La lámpara de mi alma te sonrosa los pies,
el agrio vino mío es más dulce en tus labios:
oh segadora de mi canción de atardecer,
cómo te sienten mía mis sueños solitarios!

Eres mía, eres mía, voy gritando en la brisa
de la tarde, y el viento arrastra mi voz viuda.
Cazadora del fondo de mis ojos, tu robo
estanca como el agua tu mirada nocturna.

En la red de mi música estás presa, amor mío,
y mis redes de música son anchas como el cielo.
Mi alma nace a la orilla de tus ojos de luto.
En tus ojos de luto comienza el país del sueño.

El poema 16, como se sabe, fue en su tiempo objeto de diversas polémicas, a propósito de su vinculación con el poema XXX de *El Jardinero*, de Rabindranath Tagore. En realidad, Neruda hizo una paráfrasis del texto del poeta hindú, que dice así:

Tú eres la nube del crepúsculo que flota en el cielo de mis sueños.
Te dibujo según los anhelos de mi amor.
Eres mía, y habitas en mis sueños infinitos.

Tus pies se colorean con el fulgor de mi deseo, espigadora
de mis cantos vespertinos.
Tus labios tienen el amargor y la dulzura de mi vino de dolor.
Eres mía, y habitas en mis sueños infinitos.
La sombra de mi pasión ha oscurecido tus ojos. Eres la
alucinación de mi mirada.
Te he prendido y envuelto en la red de mis cantos, amor mío.
Eres mía, y habitas en mis sueños infinitos.

17

Pensando, enredando sombras en la profunda soledad.
Tú también estás lejos, ah más lejos que nadie.
Pensando, soltando pájaros, desvaneciendo imágenes,
enterrando lámparas.
Campanario de brumas, qué lejos, allá arriba!
Ahogando lamentos, moliendo esperanzas sombrías,
molinero taciturno,
se te viene de bruces la noche, lejos de la ciudad.

Tu presencia es ajena, extraña a mí como una cosa.
Pienso, camino largamente, mi vida antes de ti.
Mi vida antes de nadie, mi áspera vida.
El grito frente al mar, entre las piedras,
corriendo libre, loco, en el vaho del mar.
La furia triste, el grito, la soledad del mar.
Desbocado, violento, estirado hacia el cielo.

Tú, mujer, qué eras allí, qué raya, qué varilla
de ese abanico inmenso? Estabas lejos como ahora.
Incendio en el bosque! Arde en cruces azules.
Arde, arde, llamea, chispea en árboles de luz.
Se derrumba, crepita. Incendio. Incendio.

Y mi alma baila herida de virutas de fuego.
Quién llama? Qué silencio poblado de ecos?
Hora de la nostalgia, hora de la alegría, hora de la soledad
hora mía entre todas!

Bocina en que el viento pasa cantando.
Tanta pasión de llanto anudada a mi cuerpo.

Sacudida de todas las raíces,
asalto de todas las olas!
Rodaba, alegre, triste, interminable, mi alma.

Pensando, enterrando lámparas en la profunda soledad.
Quién eres tú, quién eres?

Curioso empleo de abundantes gerundios en la primera y en la última estrofas. Las reiteraciones apuntan a la enumeración caótica, que alcanzará mayor desarrollo en *Residencia en la tierra*.

El poeta, ensimismado, se expresa con cierto hermetismo que difiere de la sencillez de otros poemas de amor. Quizás ello explique la fuerza del texto, que interesa al lector de hoy no menos que al de la década del veinte.

En las ediciones primeras, la tercera estrofa se extendía hasta el verso "Rodeaba, alegre, triste, interminable, mi alma". En cambio, aparecían con separación estrófica cada uno de los dos versos finales del poema.

18

Aquí te amo.
En los oscuros pinos se desenreda el viento.
Fosforece la luna sobre las aguas errantes.
Andan días iguales persiguiéndose.

Se disciñe la niebla en danzantes figuras.
Una gaviota de plata se descuelga del ocaso.
A veces una vela. Altas, altas estrellas.

O la cruz negra de un barco.
Solo.
A veces amanezco, y hasta mi alma está húmeda.
Suena, resuena el mar lejano.
Éste es un puerto.
Aquí te amo.

Aquí te amo y en vano te oculta el horizonte.
Te estoy amando aún entre estas frías cosas.
A veces van mis besos en esos barcos graves,
que corren por el mar hacia donde no llegan.

Ya me veo olvidado como estas viejas anclas.
Son más tristes los muelles cuando atraca la tarde.
Se fatiga mi vida inútilmente hambrienta.
Amo lo que no tengo. Estás tú tan distante.

Mi hastío forcejea con los lentos crepúsculos.
Pero la noche llega y comienza a cantarme.
La luna hace girar su rodaje de sueño.

Me miran con tus ojos las estrellas más grandes.
Y como yo te amo, los pinos en el viento,
quieren cantar tu nombre con sus hojas de alambre.

La afirmación "Amo lo que no tengo", contenida en este poema, explica en feliz síntesis la situación general del Yo lírico, ansioso de aprehender una realidad siempre esquiva. El entorno no está descrito con precisión. Mar, tierra y cielo se unen en paisaje que alcanza a los amantes: "hasta mi alma está húmeda... Me miran con tus ojos las estrellas más grandes".

La lacónica concreción de algunas oraciones —"Este es un puerto. / Aquí te amo"— recuerda poemas iniciales del *Cántico*, de Jorge Guillén.

Las ediciones iniciales no presentaban separaciones estróficas.

19

Niña morena y ágil, el sol que hace las frutas,
el que cuaja los trigos, el que tuerce las algas,
hizo tu cuerpo alegre, tus luminosos ojos
y tu boca que tiene la sonrisa del agua.

Un sol negro y ansioso se te arrolla en las hebras
de la negra melena, cuando estiras los brazos.
Tú juegas con el sol como con un estero
y él te deja en los ojos dos oscuros remansos.

Niña morena y ágil, nada hacia ti me acerca.
Todo de ti me aleja, como del mediodía.
Eres la delirante juventud de la abeja,
la embriaguez de la ola, la fuerza de la espiga.

Mi corazón sombrío te busca, sin embargo,
y amo tu cuerpo alegre, tu voz suelta y delgada.
Mariposa morena dulce y definitiva,
como el trigal y el sol, la amapola y el agua.

Cuartetas alejandrinas con asonancias en los versos pares.

Poema de tono más positivo, en el cual la descripción de la amada contrasta con el corazón sombrío del amante.

Escribe Neruda a Albertina Azócar: "Ahora te llamaré Abeja, aunque no eres rubia." (Carta 84, *Cartas de amor de Pablo Neruda,* ed. cit., p. 322). La relación del texto con el verso "Eres la delirante juventud de la abeja" es obvia.

20

Puedo escribir los versos más tristes esta noche.

Escribir, por ejemplo: "La noche está estrellada,
y tiritan, azules, los astros, a lo lejos".

El viento de la noche gira en el cielo y canta.

Puedo escribir los versos más tristes esta noche.
Yo la quise, y a veces ella también me quiso.

En las noches como ésta la tuve entre mis brazos.
La besé tantas veces bajo el cielo infinito.

Ella me quiso, a veces yo también la quería.
Cómo no haber amado sus grandes ojos fijos.

Puedo escribir los versos más tristes esta noche.
Pensar que no la tengo. Sentir que la he perdido.

Oír la noche inmensa, más inmensa sin ella.
Y el verso cae al alma como al pasto el rocío.

Qué importa que mi amor no pudiera guardarla.
La noche está estrellada y ella no está conmigo.

Eso es todo. A lo lejos alguien canta. A lo lejos.
Mi alma no se contenta con haberla perdido.

Como para acercarla mi mirada la busca.
Mi corazón la busca, y ella no está conmigo.

La misma noche que hace blanquear los mismos árboles.
Nosotros, los de entonces, ya no somos los mismos.

Ya no la quiero, es cierto, pero cuánto la quise.
Mi voz buscaba el viento para tocar su oído.

De otro. Será de otro. Como antes de mis besos.
Su voz, su cuerpo claro. Sus ojos infinitos.

Ya no la quiero, es cierto, pero tal vez la quiero.
Es tan corto el amor, y es tan largo el olvido.

Porque en noches como ésta la tuve entre mis brazos,
mi alma no se contenta con haberla perdido.

Aunque éste sea el último dolor que ella me causa,
y éstos sean los últimos versos que yo le escribo.

Dísticos alejandrinos, cadenciosos y rítmicos. Monorrima asonante a partir del verso sexto. Reiteraciones y repeticiones acusadas. Preferencia por las oraciones simples, a menudo muy breves: "Eso es todo. A lo lejos alguien canta. A lo lejos."

El verso inicial da el tono al poema, máxima tristeza matizada por la posibilidad de su expresión literaria. Temple de ánimo hasta cierto punto contradictorio, según el tiempo del amor evocado, al comienzo en presente y luego en pasado.

Obsérvese el aprovechamiento creativo de lugares comunes de difícil manejo poético, como noche estrellada o besos bajo el cielo. Aquí reside uno de los mayores aciertos del poema: la utilización del tópico mediante la sensibilidad finísma y el decir auténtico. Esto junto a la musicalidad antes señalada explica la popularidad del poema, ciertamente el más célebre de Neruda.

La canción
desesperada

Emerge tu recuerdo de la noche en que estoy.
El río anuda al mar su lamento obstinado.

Abandonado como los muelles en el alba.
Es la hora de partir, oh abandonado!

Sobre mi corazón llueven frías corolas.
Oh sentina de escombros, feroz cueva de náufragos!

En ti se acumularon las guerras y los vuelos.
De ti alzaron las alas los pájaros del canto.

Todo te lo tragaste, como la lejanía.
Como el mar, como el tiempo. Todo en ti fue naufragio!

Era la alegre hora del asalto y el beso.
La hora del estupor que ardía como un faro.

Ansiedad de piloto, furia de buzo ciego,
turbia embriaguez de amor, todo en ti fue naufragio!

En la infancia de niebla mi alma alada y herida.
Descubridor perdido, todo en ti fue naufragio!

Te ceñiste al dolor, te agarraste al deseo.
Te tumbó la tristeza, todo en ti fue naufragio!

Hice retroceder la muralla de sombra,
anduve más allá del deseo y del acto.

Oh carne, carne mía, mujer que amé y perdí,
a ti en esta hora húmeda, evoco y hago canto.

Como un vaso albergaste la infinita ternura,
y el infinito olvido te trizó como a un vaso.

Era la negra, negra soledad de las islas,
y allí, mujer de amor, me acogieron tus brazos.

Era la sed y el hambre, y tú fuiste la fruta.
Era el duelo y las ruinas, y tú fuiste el milagro.

Ah mujer, no sé cómo pudiste contenerme
en la tierra de tu alma, y en la cruz de tus brazos!

Mi deseo de ti fue el más terrible y corto,
el más revuelto y ebrio, el más tirante y ávido.

Cementerio de besos, aún hay fuego en tus tumbas,
aún los racimos arden picoteados de pájaros.

Oh la boca mordida, oh los besados miembros,
oh los hambrientos dientes, oh los cuerpos trenzados.

Oh la cópula loca de esperanza y esfuerzo
en que nos anudamos y nos desesperamos.

Y la ternura, leve como el agua y la harina.
Y la palabra apenas comenzada en los labios.

Ése fue mi destino y en él viajó mi anhelo,
y en él cayó mi anhelo, todo en ti fue naufragio!

Oh sentina de escombros, en ti todo caía,
qué dolor no exprimiste, qué olas no te ahogaron.

De tumbo en tumbo aún llameaste y cantaste
de pie como un marino en la proa de un barco.

Aún floreciste en cantos, aún rompiste en corrientes.
Oh sentina de escombros, pozo abierto y amargo.

Pálido buzo ciego, desventurado hondero,
descubridor perdido, todo en ti fue naufragio!

Es la hora de partir, la dura y fría hora
que la noche sujeta a todo horario.

El cinturón ruidoso del mar ciñe la costa.
Surgen frías estrellas, emigran negros pájaros.

Abandonado como los muelles en el alba.
Sólo la sombra trémula se retuerce en mis manos.

Ah más allá de todo. Ah más allá de todo.

Es la hora de partir. Oh abandonado!

Dísticos alejandrinos con monorrima asonante en los versos pares, a semejanza de los poemas 8 y 20.

Reiteraciones obsesivas: abandonado, naufragio, hora de partir. El poema "es un sostenido *farewell* en que el hablante, náufrago una vez más en su sentimiento del tiempo y de la ausencia, rememora en húmeda hora a la ausente, a la que amó y perdió ('la hora del estupor que ardía como un faro'), y en un lamento obstinado reitera la nota del abandonado, del desventurado hondero que debe partir solo con los recuerdos de su naufragio amoroso lloviéndole sobre el poético corazón adolorido" (Alfredo Lozada, "La amada crepuscular", en el libro ya citado de E. Rodríguez Monegal y E. Mario Santi, p. 100).

ÍNDICE DE LÁMINAS

Entre págs.

ESTE LIBRO
SE TERMINÓ DE IMPRIMIR
EL DÍA 3 DE SEPTIEMBRE DE 1990

clásicos Castalia

ÚLTIMOS TÍTULOS PUBLICADOS

107 / Gonzalo de Berceo
POEMA DE SANTA ORIA
Edición, introducción y notas de
Isabel Uría Maqua.

108 / Juan Meléndez Valdés
POESÍAS SELECTAS
Edición, introducción y notas de J.
H. R. Polt y Georges Demerson.

109 / Diego Duque de Estrada
COMENTARIOS
Edición, introducción y notas de
Henry Ettinghausen.

110 / Leopoldo Alas, Clarín
LA REGENTA, I
Edición, introducción y notas de
Gonzalo Sobejano.

111 / Leopoldo Alas, Clarín
LA REGENTA, II
Edición, introducción y notas de
Gonzalo Sobejano.

112 / P. Calderón de la Barca
EL MÉDICO DE SU HONRA
Edición, introducción y notas de D.
W. Cruickshank.

113 / Francisco de Quevedo
OBRAS FESTIVAS
Edición, introducción y notas de
Pablo Jauralde.

114 / POESÍA CRÍTICA
Y SATÍRICA DEL SIGLO XV
Selección, edición, introducción y
notas de Julio Rodríguez-Puértolas.

115 / EL LIBRO
DEL CABALLERO ZIFAR
Edición, introducción y notas de
Joaquín González Muela.

116 / P. Calderón de la Barca
ENTREMESES, JÁCARAS
Y MOJIGANGAS
Edición, introducción y notas de E.
Rodríguez y A. Tordera.

117 / Sor Juana Inés de la Cruz
INUNDACIÓN CASTÁLIDA
Edición, introducción y notas de
Georgina Sabat de Rivers.

118 / José Cadalso
SOLAYA O LOS CIRCASIANOS
Edición, introducción y notas de F.
Aguilar Piñal.

119 / P. Calderón de la Barca
LA CISMA DE INGLATERRA
Edición, introducción y notas de
F. Ruiz Ramón.

120 / Miguel de Cervantes
NOVELAS EJEMPLARES, I
Edición, introducción y notas de J.
B. Avalle-Arce.

121 / Miguel de Cervantes
NOVELAS EJEMPLARES, II
Edición, introducción y notas de J.
B. Avalle-Arce.

122 / Miguel de Cervantes
NOVELAS EJEMPLARES, III
Edición, introducción y notas de J.
B. Avalle-Arce.

123 / POESÍA DE LA EDAD
DE ORO, I. RENACIMIENTO
Edición, introducción y notas de
José Manuel Blecua.